Biblioteca básica de Historia

Bibli... oria

Biblioteca básica de Historia

Biblioteca básica de Historia

Biblioteca básica de Historia

Mitos y ritos en Grecia

Mitos y Ritos en Grecia
Biblioteca Básica de Historia

© **Dastin Export, S.L.**
Polígono Industrial Európolis, calle M, núm 9
28230 Las Rozas (Madrid) - España
Tel. (+) 34 916 375 254
Fax: (+) 34 916 361 256
e-mail: dastinexport@dastin.es
www.dastin.es

Dirección Editorial: Raul Gómez
Edición y Producción: José Mª Fernández
Coordinación Editorial: Ediproyectos Europeos, S.L.
Diseño de colección: Enrique Ortega

ISBN: 84-96249-85-9
Depósito legal: M-40.156-2004

Impreso en España / Printed in Spain

Mitos y ritos en Grecia

Hermes de Andros, detalle, copia romana, Atenas, Museo Arqueológico Nacional

Mitos y ritos en Grecia

Ricardo Olmos
Investigador del Centro de Estudios del CSIC. Madrid

Resulta muy difícil encerrar en una definición lo que los griegos entendieron por mito a lo largo de su historia. Tal vez el intentarlo sea una tarea vana e ingenua y los dioses podrían incluso castigar al mortal que pretendiera hacerlo, como lo hicieron con el titán Prometeo por haber robado y transmitido a los hombres uno de sus secretos más celosamente guardados: la posesión del fuego. Decían los griegos que incurría en *hýbris*, que es como decir en soberbia, en desmesura, aquel mortal que pretendiera alcanzar lo que estaba más allá de la medida humana. *Nada en exceso, conoce tus propios límites*, eran consignas escritas en el santuario de Apolo en Delfos para su recuerdo por los hombres. Veremos algún ejemplo de *hýbris* en el transcurso de estas páginas, pues esta noción, de carácter fundamentalmente limitativo, formó parte integrante de la vida y del pensamiento griegos durante siglos. Por lo tanto no vamos nosotros a intentar definir –como otros en vano han querido hacer– todos los significados y funciones del mito griego, pues no deseamos alcanzar el castigo de los dioses.

No necesitaron los griegos expresar con una fórmula lo que entendían por mito para que éste formara parte

Santuario de Apolo en Corinto, centro de la "polis", 550-525 a. C.

Altar de sacrificios encontrado en la necrópolis de Centuripe, finales siglo VI a. C.

integrante de su comportamiento individual o colectivo. Su historia, como la de tantos otros pueblos, no se comprende bien sin la presencia constante de un pensamiento mítico muy desarrollado: el mito está enraizado en aspectos transcendentales de su vida individual –nacimiento, boda, muerte– y de su existencia colectiva, como pueden ser las fiestas sagradas de la

ciudad o los rituales que conlleva la fundación de una colonia. Pero los griegos poseyeron un especial instinto para transmitir todo su complejo bagaje mítico mediante una rica y desarrollada expresión plástica y oral. Puede hablarse de una verdadera poética mitológica griega –en el sentido griego de *poiesis* como *creación*– que impregna aquí y allá toda su poesía épica y lírica, el drama o su

Panorámica de la isla de Delos (sagrada para los griegos) desde el monte Cinto

mismo pensamiento filosófico, y es el fundamento de la mayoría de sus creaciones plásticas como la arquitectura, la escultura o la cerámica. No se puede indagar en ninguno de estos campos sin encontrar de un modo u otro en la base de todos ellos el pensamiento mítico. Historia mítica e historia real –que es como decir espacio y tiempo míticos junto a espacio y tiempo reales– se

entremezclaron de un modo inseparable a lo largo de la vida griega. Nunca se llegó a definir o a distinguir plenamente una esfera con relación a la otra. Al contrario, juntas realizaron gran parte de una misma andadura y juntas se complementaron. Tal vez por ello no encontraron los griegos la necesidad de precisar lo que era mito. Su presencia constante les acompañaba naturalmente, sin precisar esta espontaneidad una justificación.

Se debe sobre todo al racionalismo moderno el afán por definir el tránsito del mito al *lógos* como si se tratara del paso iniciático de un estadio ingenuo, primitivo del hombre a otro más racional y avanzado; un tránsito de las tinieblas de lo irracional hacia las fuentes de luz de la razón. Esta aventura compleja y apasionante de los orígenes de lo que llamamos pensamiento occidental, proceso largo en el que continuamente se entremezclan ambos tipos de verdades –la mítica y la lógica– ha sido analizada desde diversos ángulos por numerosos autores (Nestle, 1975; Snell, 1965; Vernant, 1973). Pero fue sobre todo F. R. Dodds, *professor regius* –esto es, de la *cátedra real*– de la Universidad de Oxford, quien, a finales de la década de los cincuenta, mostró en toda su sugestividad el peso del componente irracional en la cultura griega frente a toda una larga tradición erudita europea de corte iluminista que había querido ver en aquélla la manifestación serena e imperturbable de lo racional.

Cómo llamaron los griegos al mito

En efecto, los mármoles del Partenón expuestos bajo la luz cenital de la sala *Elgin* del Museo Británico de Londres, que narraban mitos y rituales de la ciudad ateniense, parecían demasiado fríos y racionales a un joven visitante al que preguntó Dodds. Y, al igual que en los mitos griegos llamados etiológicos o del *origen* de sucesos, fue ésta la chispa que movió al profesor inglés a indagar en la irracionalidad del alma griega. El mismo Dodds lo cuenta en el prólogo de su sugestivo libro. En

Artemis castiga al cazador Acteas, crátera de figuras rojas, siglo V a. C.

esta vuelta al irracionalismo como valor cultural primordial del ser humano –y, en concreto, del pensamiento griego– que de hecho se revitalizó a partir de F. Nietzs-che en las últimas décadas del pasado siglo, podremos hoy comprender, seguramente mejor que en décadas anteriores, muchas de las facetas *oscuras* de la mitología griega. Adquiere así una nueva dimensión el mito en su relación estrecha con la vida: veremos más

Guardianes de la Vía Sagrada, en la isla de Delos, mármol de Naxos, VII-VI a. C.

adelante ejemplos míticos de la apertura hacia la locura y hacia la posesión divina, como el fenómeno del menadismo, en el que determinados grupos de mujeres rompían con la norma de sometimiento cotidiano y pasaban a pertenecer a la esfera del dios de la vegetación y de la transformación llamado Dioniso.

Me parece significativo que los griegos se refieran al mito con diversas palabras y no con un término único, lo que muestra una vez más la interrelación de éste, incapaz de verse contenido en un cauce único, con las múltiples facetas de la vida. Unas veces le llamaron *épos* o palabra épica, sobre todo cuando se referían a las hazañas de los héroes del pasado, hechos que constituían un caudal inagotable de su repertorio mítico, en especial los poemas homéricos –la *Ilíada* y la *Odisea*– y las leyendas contenidas en los llamados *Ciclos* como el troyano y el de Tebas. Otras veces llamaron al mito simplemente *lógos*, haciendo con ello referencia al carácter oral de aquellas narraciones que circulaban de boca en boca entre las gentes: *se cuenta, se dice*, así comienzan muchos incisos o narraciones míticas en Pausanias, el tardío Periegeta o guía que, en pleno siglo II de nuestra era, nos fue describiendo rincón por rincón los monumentos ilustres de la Grecia continental y sus *lógoi*, sus leyendas. Todavía Pau-sanias, que fue un ciudadano culto de la plenitud del Imperio romano, nos habla con profunda veneración de todos esos viejos mitos y leyendas griegas. Mantenía viva la creencia en ellos, pues formaban una parte integrante de su pasado histórico y vivían, en las tradiciones y relatos de cada lugar, con la lengua griega.

Pueden estos *lógoi* –como algunos de Heródoto o del mismo Pausanias– referir historias de carácter menos

Pintura de una casa de Akrotiri que representa a una sacerdotisa arrojando esencia en un quemaperfumes, siglo XVI a. C., Atenas, Museo Nacional

Escena de una libación u ofrenda a los dioses, copa ática, finales del siglo VI a. C.

serio o transcendente, más anecdótico que el que esperamos del mito: los autores modernos llamarían a estas narraciones cuentos o *Märchen*. En esta categoría encajaría una historia mítica como la de Perseo que recogemos entre los textos. Mucho antes de Pausanias, casi en los albores del pensamiento griego, un filósofo presocrático como Heráclito, que floreció en los años finales del siglo VI a. C., consideró en el *lógos* tanto el pensamiento humano como el principio rector del Universo. En su valor más racional o en su vertiente mítica, en el arcaísmo de Heráclito o en la tardía época de Pausanias, el *lógos* fue siempre para el griego la palabra viva. Se vio siempre acompañada de las connotaciones más diversas. Nosotros no vamos a intentar definir los límites entre uno y otro.

Y también, claro está, los griegos utilizaron en este sentido la palabra *mýthos*, que alguien podría estar tentado en traducir imprecisamente como fábula, leyenda o cuento, pero que de hecho muchas veces no sabríamos separar del *lógos* o discurso más propiamente histórico. Heródoto introduce muchas veces estos mitos como relatos de sus historias. No son menos verídicos –es decir menos *históricos*– para Heródoto algunos de esos relatos que hoy efectivamente llamaríamos míticos que, por ejemplo, sus descripciones minuciosas de las batallas de Maratón o de Salamina. Mito y realidad se entreveran en Heródoto y forman un todo maravilloso y homogéneo.

Con frecuencia Platón acude a los mitos para explicar aquellas realidades más profundas que no pueden alcanzarse mediante el mero discurrir lógico: recordemos los mitos de Er y de la Caverna en sendos pasajes de la *República*, donde el filósofo, como hacedor de mitos, abre

Acrópolis de Atenas, cuna de la democracia, que lució su esplendor en la época de Pericles

la luz a sus concepciones del origen, situación y destino de la naturaleza humana. El mito de la caverna narra el proceso que puede llevar al hombre a conocer la Verdad, la Belleza y el Bien por encima de las apariencias o las sombras de unas ideas, que constituyen nuestra realidad sensible. Recordemos cómo en el *Banquete* acudió Platón a un mito para explicarnos el origen y la naturaleza ambivalente del verdadero amor, hijo de *Póros* y *Penía,* personificaciones del Recurso y la Pobreza. En un rincón de Grecia, Diótima, sacerdotisa de Mantinea, le contó esta historia un día a Sócrates (20 1 E). También el mismo Aristóteles, quien fijó las normas del instrumento de la lógica, llegó a confesar en la madurez de su vida que a medida que avanzaba en edad más le gustaban los mitos.

Hemos visto en estas líneas precedentes algunas de las características que acompañarán al mito griego en toda su historia. La primera de ellas es el carácter prioritariamente oral de la narración mítica, una historia que por lo general se transmite y circula de boca en boca de los hombres. De esta oralidad se desprenderá tanto su carácter común como su individualidad. Como posesión comunitaria, adquirirá su sentido en el marco de la *pólis* griega, donde encuentra cobijo como simiente fecunda transmitiéndose allí de generación en generación. Cada espacio y cada tiempo concretos le otorgarán un significado siempre nuevo: el mito griego continuamente está vivo, como las *palabras aladas* de los héroes homéricos, pues se crea continuamente de nuevo en cada individuo concreto que lo escucha, lo transmite y lo modifica. Son características de los mitos griegos tanto su perdurabilidad como su adaptabilidad a cada situación histórica concreta. Los mitos griegos viajan y se trasladan con los hombres que los llevan. Cada comunidad, y también cada hombre a su modo, los encarna e interpreta.

Interpretaciones antiguas de la mitología

El mito greco-romano ha atraído ininterrumpidamente a las generaciones de los hombres –desde la Antigüedad, la Edad Media y el Renacimiento hasta nuestros días– con la misma fascinación que lo hacía el canto de las sirenas en la *Odisea* homérica. Ninguno de los marinos que con la nave pasara junto a las rocas donde moraban las míticas aves cantoras podía escapar a su irresistible poder de seducción. Todos –menos el ingenioso Ulises y sus marinos– sucumbieron a sus funestos cantos. Así ha ocurrido en nuestra historia

Reverso de un tetradracma de plata de Atenas, que representa a una lechuza junto a una rama de olivo

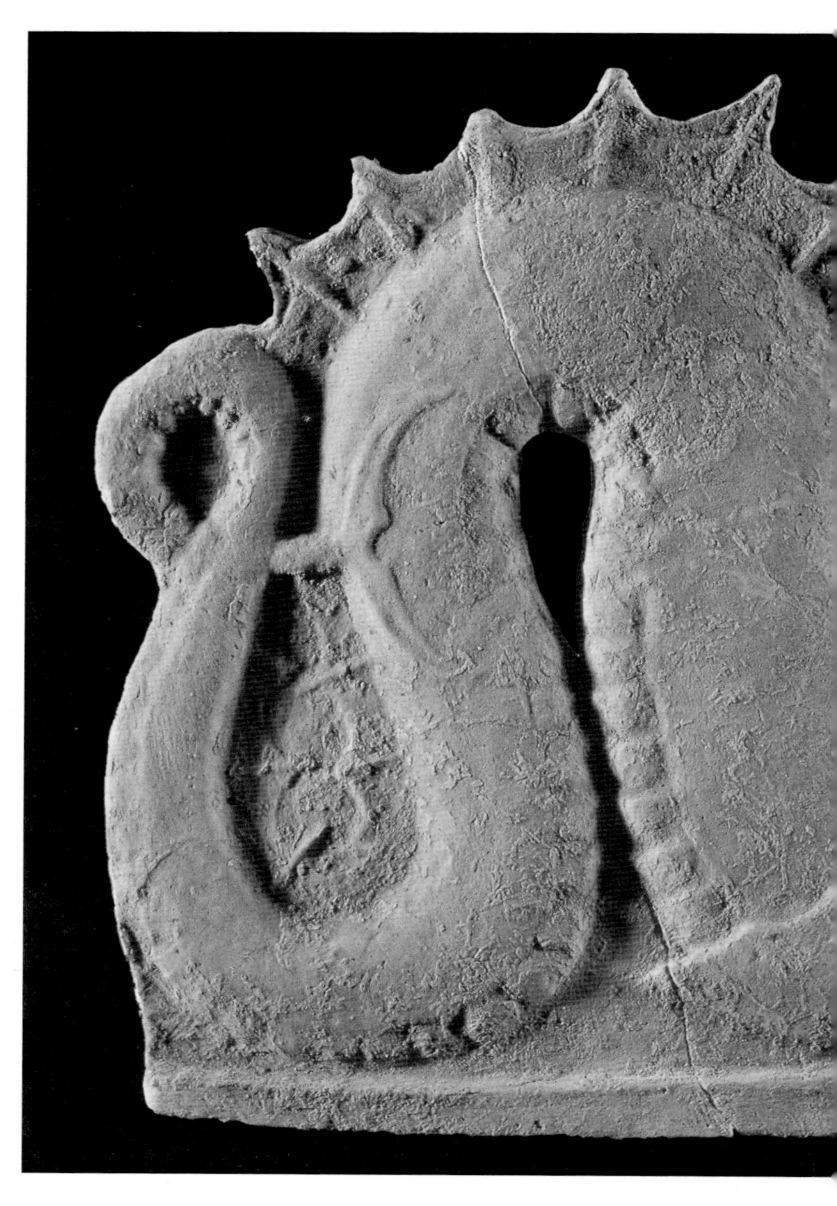

Relieve de terracota de la isla de Milo con Escila, monstruo marino de la mitología

con el viejo mito griego. Sobre todo en época moderna cada generación ha buscado en la mitología griega una justificación y un sentido propios. Las preguntas, de un modo u otro, han tratado de indagar en el porqué del mito y en la inagotable fuerza poética de la creación mítica, en su lenguaje siempre cargado de sugerencias. Las perspectivas de enfoque y las respuestas han ido variando con el tiempo, pero también dentro de una misma época se han propuesto interpretaciones harto diferentes y hasta dispares del mito griego. El lenguaje ambiguo y plurivalente de la narración mítica, envuelta muchas veces en un cierto ambiente de poética y hasta de fascinación mágica, ha permitido a los autores especular sobre sus significados llegando en no pocas ocasiones mucho más allá de lo que los mismos griegos hubieran podido jamás imaginar.

Este fenómeno se daba ya en la misma Antigüedad clásica. Durante la época helenística y como consecuencia de la crisis de los ideales religiosos de la vieja *pólis* griega, los filósofos estoicos, los epicúreos y los neoplatónicos interpretaron generalmente el mito de una manera alegórica. Los dioses, por ejemplo, serían simples personificaciones de fuerzas de la naturaleza que el hombre, en un momento temprano e inmaduro de la historia, comprendió a su propia medida. De ahí que el mito y la religión griegas hubieran adquirido ese perfil tan nítidamente humano, esa acuñación tan marcadamente antropomórfica. La fuerza cósmica del amor era un niño alado, con coronas de flores en las manos que aludían a su capacidad fecundadora o con cintas que mostraban su poder: con ellas ataba a los mortales. Desde antiguo se personificaban también

Dama de Filakopi, terracota y pintura, hacia 1200 a. C., Milo, Museo Arqueológico

Vista general de la isla de Tinos, con los típicos molinos de Kionia

Estatua de guerrero espartano,"Lebnidas", fragmento, 490-489 a. C., Esparta, Museo Arqueológico

conceptos abstractos tales como la Fortuna, la Discordia, el Juego; o estados de la naturaleza como los diferentes Vientos o la misma *Galéne*, que expresaba la calma benefactora y brillante del mar; o estados del cuerpo humano concebidos como fuerzas exteriores al hombre tales como la salud, que encarnaron los griegos en Higía, compañera en las imágenes y en el culto del dios y héroe de la medicina Asclepio, el sueño *(h´ypnos)* o la muerte *(Thánatos)*, dos hermanos que representaron como démones alados: al sueño como un adolescente, imberbe; a Thánatos, como el hermano mayor, más adusto y barbado. Este marcado antropomorfismo –en poesía y en imágenes– de la religión griega clásica indujo *a posteriori* a los filósofos a proponer su explicación alegórica de la mitología. El *Banquete* de Platón está lleno de pasajes que pueden servir de ejemplo de esta tendencia a la personificación alegórica de conceptos abstractos introducidos en un relato mítico.

Otra de las tendencias más significativas de la interpretación helenística del mito fue el evemerismo, que tomó este nombre de su principal representación, Evémero de Mesana, en el siglo IV a. C. Según este autor los dioses no habrían sido en sus orígenes otra cosa que simples mortales que sobresalieron por sus beneficios a los hombres. Como consecuencia de sus acciones memorables el tiempo acabaría heroizándolos y divinizándolos tras su muerte: así lo fueron un día Heracles y Asclepio. Responde en gran medida esta concepción a la deificación de los monarcas helenísticos, partiendo del modelo de Alejandro Magno. La vida incide aquí directamente en el devenir mítico, que se empapa del contexto social.

Detalle del frontón oriental del Partenón, actualmente en el Museo Británico de Londres

Interpretaciones modernas de la mitología: el siglo XIX

En época moderna el Romanticismo vio de nuevo en el mito –como lo hicieron los filósofos helenísticos– una alegorización de las fuerzas de la Naturaleza. Pero

también –y aquí debemos apuntar los nombres de los mismos Winckelmann y Goethe– se comprendió aquél de un modo puramente estético, como mera poesía y manifestación de la belleza. Otros, como Max Müller, consideraron en los orígenes de los mitos un estadio infantil o incluso una *enfermedad del lenguaje*. Una

Detalle del frontón oriental del Partenón, hoy en el Museo Británico de Londres

expresión errónea, heredada de un estadio anterior e imperfecto del lenguaje, en un momento determinado llevaría, según Müller, a su interpretación como mito al no comprenderse su significado originario. Pero la aportación fundamental de este sabio alemán afincado en Oxford fue la creación de una mitología comparada de

los diferentes pueblos indoeuropeos. Supo descubrir Müller en la mayoría de los mitos una manifestación del impacto que los fenómenos naturales –como el amanecer o la puesta del sol– pudieron dejar en el alma primitiva. Encaja bien todo ello con la anterior herencia romántica: para los románticos el paisaje fue en gran medida un estado del alma.

Sacrificio de un cerdo sobre un altar, copa ática, siglo V a. C., París, Museo del Louvre

Interpretaciones de la mitología en el siglo XX: de la antropología al estructuralismo

En las últimas décadas del pasado siglo y en los albores de éste el influjo de la antropología comparada se dejó sentir profundamente en la interpretación de los orígenes de la religión y, más en concreto, de la mitología griega como expresión de una mentalidad primitiva. Al ilustre profesor de Cambridge, sir James Frazer, debemos una ingente reunión de materiales de corte etnográfico y folclórico que aplicó a la interpretación de los mitos griegos contados por Pausanias o por el mitógrafo Apolodoro, a quienes traduce y ampliamente comenta. Así, la historia de Deméter, que por las noches ponía en el fuego a Demofonte, el pequeño hijo de Celeo, para hacerlo inmortal –como cuenta brevemente Apolodoro en el primero de sus libros (I, V, 1)–, sirve a Frazer como excusa para desplegar una inmensa erudición sobre ritos de nacimiento similares, extendidos entre pueblos tan diferentes y alejados en el tiempo y en el espacio como los escoceses, los judíos y los kafires de África del Sur. Fue Frazer, como Müller, un evolucionista, que consideraba en el mito un estadio mágico, salvaje, que sólo un largo camino de la civilización acabaría por superar.

El siglo XX ha indagado nuevas vías para la comprensión del mito. De las huellas de Frazer surgirá en Inglaterra, en Cambridge, la escuela del *mito y ritual*, cuya más eximia representación fuera Jane Ellen Harrison. Según las propuestas de esta escuela, todo mito habría nacido de un primitivo ritual. Muchos mitos podrían explicarse como representaciones de rituales colectivos: se empieza a entrever por primera vez la importancia de determinados ritos de iniciación para explicar una vertiente de la mitología griega. Aludiremos más adelante a mitos en relación con rituales de iniciación, como los llamados *de paso* o *de tránsito*, fecundos aún hoy en la explicación de algunos ejemplos griegos, modelo que también por aquellos mismos años propuso un antropólogo francés, Van Gennep, en su libro *Les rites de passage* (1909).

En otro orden explicativo son conocidas las interpretaciones psicoanalíticas de la escuela de Sigmund Freud, en las que repetidamente se relacionó el lenguaje de los mitos con el de los sueños. ¿Quién no conoce la lectura que hizo Freud del mito de Edipo –que mató sin saberlo a su padre y casó después con su madre, en el famoso drama de Sófocles– ahora como un universal escondido en los estratos más profundos de la psique humana, como expresión sublimada de su libido, de su impulso sexual? Una narración como la castración de Urano de la *Teogonía* de Hesíodo, encajaría en este modelo de explicación de la escuela psicoanalítica. Algo después de Freud, C. G. Jung, otro ilustre psicoanalista que se inició en su escuela, desarrolló la teoría de los arquetipos del inconsciente colectivo como fuente innata de los mitos. En la estructura de nuestro inconsciente tendríamos depositadas, al modo de formas platónicas, imágenes primitivas de carácter universal que forman el tejido originario y más elemental de los mitos. Jung descubre, por ejemplo, uno de estos arquetipos en el

Reencuentro de Ulises y Penélope, terracota pintada, siglo V a. C., París, M. del Louvre

Atenea representada en un relieve, hacia 480 a. C., Atenas, Museo de la Acrópolis

motivo del monstruo y del héroe que consigue liberar al mundo de su influjo maligno. Numerosos mitos griegos de héroes benefactores, *liberadores de males*, como el de Perseo, cuya versión de Apolodoro recogemos, o los de Teseo o el de Heracles que relataremos más abajo, fueron inmediatamente explicados por la escuela de Jung dentro de este arquetipo.

Paralelamente a los psicoanalistas, se desarrollaron en las primeras décadas de este siglo diversas teorías sobre las formas del pensamiento primitivo, un pensamiento *prelógico* e irracional, con unas funciones mentales muy específicas de las sociedades inferiores, que L. Lévy-Bruhl consideró determinado por representaciones místicas y emocionales, oponiéndolo así a un pensamiento racional y lógico moderno, basado en el principio de la *no contradicción*, o, simplemente, un pensamiento mítico en la propuesta del neokantiano E. Cassirer, que vio sobre todo en el mito un sistema simbólico caracterizado por su función expresiva, a diferencia del lenguaje común al que correspondería, por el contrario, una función intuitiva.

Mención especial merecen aquellas teorías que tratan de establecer la estructura interna, lógica, de los mitos, como la que representa el antropólogo francés Claude Lévy-Strauss, o la que con relación a los cuentos realizó a principios de siglo el folclorista ruso Vladimir Propp. Frente a las posiciones *primitivistas* de Lévy-Bruhl, Lévy-Strauss afirma que el pensamiento de los pueblos ágrafos –mejor que primitivos– es perfectamente desinteresado e intelectual, *exactamente como lo hace un filósofo* (Lévy-Strauss, 1987, 37). La narración mítica encierra en sí misma un modelo lógico, y es precisamente la estructura interna del mito

Reunión de dioses, friso jónico del Partenón, hacia 438 a. C., Atenas, Museo de la Acrópolis

–donde se encuentra su código lógico– la que confiere a aquél su significado. La teoría de Lévy-Strauss implica además que en todas las culturas los mitos poseen una función similar, lo que no es aceptado por finos intérpretes de la mitología griega como Kirk, que abogan, con razón, por la multiplicidad de funciones de los mitos griegos: no es posible reducir a un modelo funcional único la enorme diversidad de los mitos. Cualquiera de las teorías anteriormente expuestas pecaría, por tanto en el mejor de los casos, de unilateralidad.

Propp no se ocupó directamente del mito griego sino del cuento folclórico ruso. En su libro fundamental, *La morfología del cuento*, publicado en 1928 y traducido a las lenguas occidentales unos treinta o más años después de la edición rusa –lo que justifica su muy reciente influjo en autores actuales–, propuso Propp una lectura de la estructura narrativa de los cuentos populares, cuya acción redujo a un total de 31 funciones. Estas funciones –y no los personajes, que son intercambiables– constituyen los elementos constantes de todo cuento y confieren unidad de acción a la trama. La narración de las Sirenas en la *Odisea* o el citado mito de Perseo –como muy arquetípicos modelos– poseen los ingredientes populares o mágicos característicos de muchas colecciones de cuentos actuales.

El método estructural de Propp, decimos, ha repercutido recientemente en investigadores de la religión griega que buscan establecer una *gramática* del proceso narrativo de los mitos, como en algún caso hace W. Burkert, influido también por la vieja discusión funcio-nalista de la escuela del *mito y ritual* de la antropología comparada. El subtítulo de uno de sus libros más conocidos, *Homo Necans. La Antropología del mito y ritual sacrificial de la antigua Grecia*, nos sugiere por sí mismo una vuelta a viejos problemas. Otra síntesis algo más reciente, *Estructura e historia en la Mitología y Ritual Griegos* insiste en la dimensión histórica del mito que se incorpora y forma parte de la estructura narrativa.

Autor de vida fecunda y longeva, el francés George Dumézil, fallecido en 1986, ha desarrollado unas sugestivas propuestas funcionalistas ampliando con nuevos postulados la vieja teoría comparativa, defendida sobre todo en el siglo XIX por Müller. Los mitos griegos,

Iris, del fronton occidental del Partenón, hacia 440-438 a. C., Londres, Museo Británico

Salón del Trono de Cnosós, detalle, con un sillón de alabastro, 1450-1380 a. C.

védicos, iranios o latinos servirían como testimonio para reconstruir instituciones indoeuropeas basadas en el esquema trifuncional de su sociedad: sacerdotal y real, guerrera y artesanal. Muy influidas por el estructuralismo de Lévy-Strauss y por la tradición sociológica francesa, se sitúan las obras de P. Vidal-Naquet y de J.P. Vernant, que estudian el mito dentro de estructuras institucionales y rituales de la sociedad griega, como la caza, el sacrificio, la tragedia. En esta línea –y en el estructuralismo– cabe también incluir algunos de los trabajos del español José Bermejo.

Otras aproximaciones al mito griego de estas últimas décadas han resucitado viejos postulados antropológicos. Más arriba aludíamos a la obra de Van Gennep, de 1909, sobre los ritos de tránsito. Propuso este autor bajo un esquema común la lectura de los ritos iniciáticos y de paso, que cumplirían siempre con una estricta secuencia cronológico-temporal que comprendería un primer estadio de separación, un margen o límite entre dos esferas o dos mundos diferentes, y un tercer estadio de agregación donde el individuo participa de los beneficios de este nuevo estado. Este modelo ha servido para explicar numerosos rituales y mitos griegos de tipo cósmico, individual y social: por ejemplo, los de efebía –el paso del niño a una sociedad adulta– o los rituales de boda o de muerte con el paso aquí de la esfera de la vida, del *aquende*, al ámbito del más allá regido por sus propias leyes. Desarrollando esta línea, Angelo Brelich ha estudiado las iniciaciones de tipo tribal –un residuo prehistórico– en la Grecia clásica de los adolescentes y de las vírgenes, los *paides* y las *parthénoi*, con especial tratamiento de determinadas fiestas griegas, como en concreto las mismas Panateneas que se celebran anualmente en Atenas en honor de la diosa que dio nombre a la ciudad. Nos referiremos más adelante a algunas de ellas cuando hablemos de la religión de la *pólis*.

Imagen y mito

La indagación iconográfica ha abierto desde finales del pasado siglo perspectivas insospechadas en la interpretación de los mitos y de la religión griega. Generalmente los filólogos habían visto en la imagen un simple apoyo secundario, como un mero adorno de los textos al que acudían para ilustrar tal o cual ejemplo literario. La misma arqueología clásica no había sabido desarrollar otra andadura independiente que no fuera apoyada en el dictamen de las fuentes escritas: vivimos, hasta bien entrado el siglo XX – podemos decir hasta nuestros días– en la tradición de la llamada arqueología-filológica decimonónica. Pero ya en el siglo XIX, en una primera obra llamada *Bild und Lied (Imagen y Canción)*, publicada en 1887, el alemán Carl Robert –al que sin duda podemos considerar como uno de los grandes eruditos en mitología clásica–se dio cuenta de las grandes diferencias que median entre el lenguaje oral y el figurado. Uno y otro lenguajes poseen su propia esfera de autonomía, utilizan por separado sus propias leyes.

En este contexto se han citado con frecuencia los juegos funerales en honor de Patroclo, del canto 23 de la *Ilíada*. Hacia el 570 a. C. pinta esta historia Clitias en un friso de la conocida crátera de volutas de figuras negras que conocemos como *Vaso François*. Diomedes es el único de los contendientes en la carrera de carros que participa

Jinetes del desfile de las Panateneas en el Partenón, Atenas, Museo de la Acrópolis

simultáneamente en la narración de la *Ilíada* y en la pintura de Clitias. Los otros personajes, Hipotoonte, Damasipo, Ulises y Automedonte, que fue auriga de Aquiles, no concursan en el pasaje homérico. Ni siquiera los dos primeros son héroes de la *Ilíada*: son sus nombres parlantes –*corredor de caballos, domador de caballos*–, compuestos que hacen relación a los caballos, al estatus del aristócrata que los posee. En Clitias la propia imagen

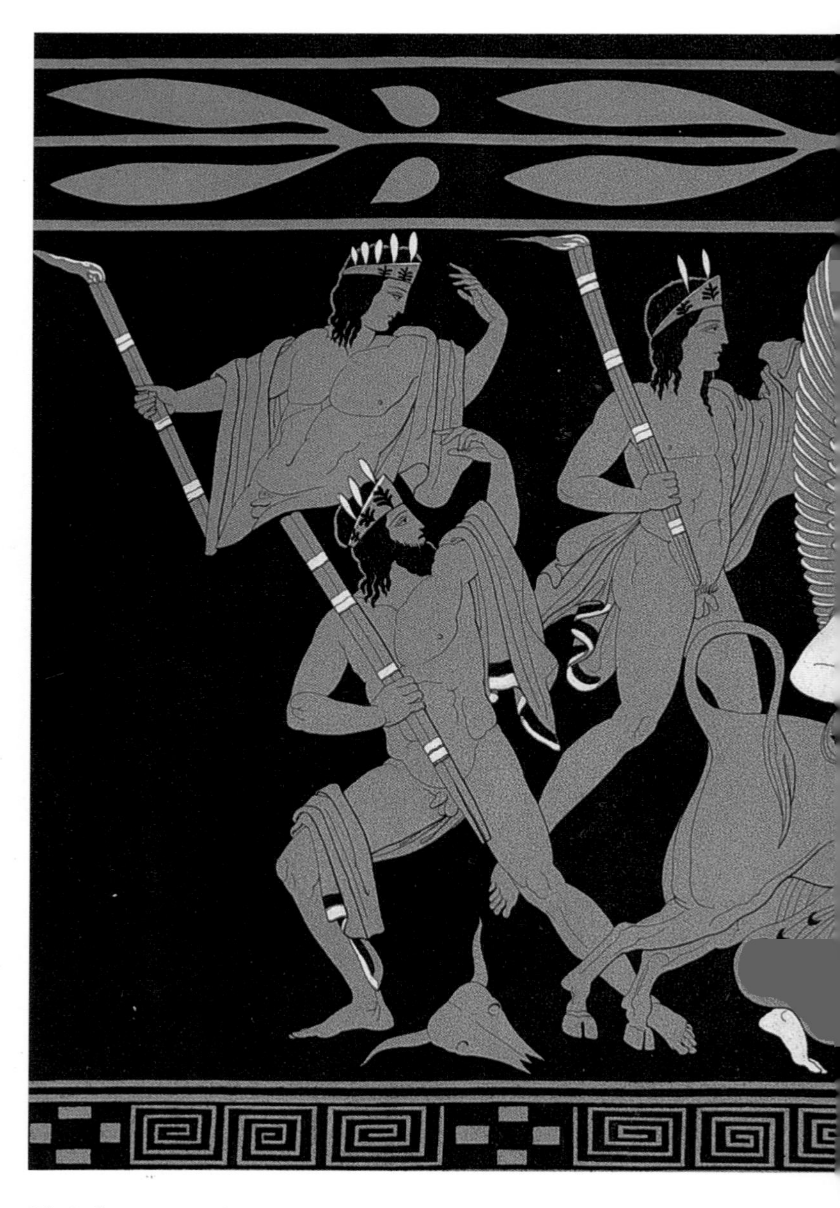

Dibujo de una escena de cerámica griega de la Colección del Conde de Lamberg

ha creado mito, dos nuevos personajes se han introducido, mediante sus nombres y la plasmación de sus figuras negras en la esfera del *épos*, del mito heroico.

Mitos recuperados con las imágenes

En una obra posterior –*Hermenéutica arqueológica*– Robert sentó las bases de la interpretación iconográfica, influido seguramente por el modelo de W. Dilthey, el filósofo de Berlín que, frente al método positivista de todas las ciencias de la naturaleza, propuso la hermenéutica como método propio de las ciencias del espíritu, de la historia.

Desde Robert hasta nuestros días se ha venido desarrollando la iconografía mítica clásica con recopilaciones ingentes de materiales, especialmente de cerámica y de relieves en terracota y mármol. Las imágenes nos permiten muchas veces aproximarnos a mitos perdidos en la tradición literaria o a constatar la antigüedad de un motivo que por los textos consideraríamos más moderno. Así ocurre con los fragmentos de un ánfora protoática del Museo de Berlín, de mediados del siglo VII a. C.: Peleo conduce al niño Aquiles ante el centauro Quirón para que éste le eduque en el bosque y le inicie en las artes de la caza. El centauro se acerca a recibir al héroe y sostiene en su hombros, como ser del bosque, una rama en la que cuelga su botín de caza: un león, un oso y un jabalí. Conocíamos un detalle similar de la crianza de Aquiles por Apolodoro, el tardío mitógrafo del siglo I d. C. que en su *Biblioteca* (III, 6) nos relata que Quirón alimentó al niño con entrañas de leones y jabalíes y con médula de osos. Antes del descubrimiento del vaso

Minotauro u hombre-toro, Atenas, Museo Nacional

Aquiles, protagonista de la *Ilíada*, de Homero, representado en una cerámica

griego se suponía este detalle una invención de los mitógrafos de época helenística. Hoy el motivo se retrotrae nada menos que al siglo VII a. C. y nos abre la posibilidad de que este detalle, tan crudo –que omite significativamente la más noble narración de la *Ilíada*, donde Aquiles fue criado por su madre Tetis, una ninfa del mar– figuraría en las más exóticas y novelescas *Ciprias*, poema, hoy perdido, aproximadamente coetáneo del ánfora.

Cada uno de los ejemplos puede ser un caso sugestivo: un ánfora corintia tardía, de mediados del siglo VI
a. C., narra la insólita historia que se cantó tal vez en la *Tebaida*, otro de los grandes poemas épicos del arcaísmo. El héroe griego Tideo, uno de los *Siete contra Tebas* de la tradición mítica, ha irrumpido espada en mano en la habitación donde la descocada Ismene estaba acostada en compañía del bello Periclímeno. El enfurecido Tideo va dar muerte a la blanca muchacha que, con el brazo extendido, implora piedad. Su amante, caracterizado con las carnaciones blancas como si fuera una mujer, huye empavorecido hacia la puerta. Sólo el perro, mudo testigo de los hechos, permanece sereno bajo las patas del adornado lecho. Apenas sabríamos nada de esta historia mítica si no poseyéramos esta representación figurada del Museo del Louvre.

Mitos y gestos: la autonomía de la imagen

También las perspectivas y enfoques de la iconografía mítica han ido modificándose y enriqueciéndose desde las primeras propuestas de Robert. Se ha estudiado, por

Démeter y Perséfone envían a Triptólemo con las espigas para que enseñe su cultivo a los hombres, cerámica pintada, siglo V a. C., Ferrara, Museo Arqueológico Nacional

ejemplo, todo el universo mítico de los gestos, de tan profundo arraigo en la cerámica griega: los hemos visto en el anterior ánfora corintia del Louvre expansivos y llenos de movimiento arcaico para expresar la sorpresa, el terror; muestran otras veces la pasión inmediata de los héroes como la tristeza o el amor repentino que entran y salen por la mirada; en el clasicismo hallaríamos una participación más íntima y callada con ademanes interiores, como las expresiones melancólicas y tenues de las figuras del Partenón y de los vasos griegos coetáneos. Se ha analizado también el modo de la narración arcaica, la llamada pregnancia de la imagen: una figura aislada despliega por sí misma todo un universo narrativo, independizándose muchas veces del resto del contexto. La imagen desarrolla su capacidad narrativa, mítica, de una manera autónoma.

Al igual que apuntábamos arriba para las lecturas sociales que experimentó el mito, sobre todo en esta segunda mitad del siglo XX, también algunos autores que se ocupan de la iconografía han visto en las imágenes griegas –especialmente en sus vasos y esculturas– intenciones propagandísticas y políticas, por ejemplo, de los dueños de los alfares en Atenas donde la variación de determinados motivos se ha puesto en relación con el cambio político que experimenta la tiranía, a mediados del siglo VI, hacia la instauración y afianzamiento del régimen democrático en los albores del siglo V: así, la figura de los héroes –primero, Heracles, y enseguida el nuevo ideal ateniense que encarna Teseo– se remodela junto con la evolución del pensamiento democrático de la ciudad. El mismo programa iconográfico del Partenón rebosa ideología y exaltación ateniense del momento imperialista de Pericles: a él nos referimos más adelante.

Se ha examinado también la adaptación de los mitos al gusto de los clientes que encargan o adquieren las imágenes y con ello se ha abierto el mito griego a una vertiente nueva que nos saca de Grecia y del helenocentrismo para situarnos en una óptica cultural diferente: la interrelación de la mitología griega con las culturas periféricas que entran en contacto con ella, como fueron, por ejemplo, la etrusca y la misma ibérica. Son precisamente iconólogos los que han estudiado el proceso vivo y dialéctico de la compresión, asimilación y reacción –o hasta rechazo– por parte de los etruscos de los mitos importados griegos a través de sus imágenes. Es simple y a la vez muy compleja la pregunta que se vienen planteando los arqueólogos en estas dos últimas décadas: ¿Cómo entendió el indígena *bárbaro* las imágenes míticas importadas de Grecia a través de los bronces y en los vasos? Algunos han hablado injustamente de un proceso de *banalización* de los mitos por los receptores indígenas de unas imágenes extrañas a su cultura, arguyendo que éste sería el

Figura de un jinete en el interior de una copa ática, 470-460 a. C., Atenas, Museo Goulandris

Vaso ritual en forma de cabeza de toro,del Palacio Pequeño de Cnosós

proceso normal del nuevo poseedor –no griego– al no entender los mensajes icónicos en cada caso representados. Esta interpretación supone de hecho una modernización del proceso, al paralelizar el caso antiguo con el ejemplo del nuevo rico que compra un objeto precioso, con una imagen, de una cultura exótica que no puede comprender; por ejemplo, un jarrón chino expuesto en la vitrina de una casa burguesa de Occidente.

Imagen y mito griegos y culturas circundantes

La contrastación del mito con las culturas circundantes nos lleva a comprender en su profundidad la vitalidad del mito y de la imagen en la Antigüedad y sobre todo el proceso de reinterpretación continuo que dista muy lejos de ser una banalización. Pongamos un ejemplo ibérico que nos servirá para acercar el problema de Grecia a nuestro mundo de la protohistoria peninsular. El rico ibero que se enterró con una crátera de campana del tercer cuarto del siglo V en la necrópolis granadina de Galera hubo de interpretar la imagen mítica que se introdujo con el vaso ateniense importado: la crátera en cuestión relata la aparición repentina de la Nice o Victoria alada ante un adolescente desnudo que monta un caballo. Se trata del epinicio o celebración del triunfo de un joven como jinete. El caballo, sorprendido ante la imprevista aparición de la diosa que desciende de los aires, se encabrita asustado. Ésta es la lectura griega, ateniense, del motivo mítico representado en esta crátera.

Pero, sin duda, el vaso no pudo ser interpretado de igual modo por el ibero que lo adquirió para finalmente enterrarse con esta imagen. Sí podemos aproximarnos a la lectura mítica del ibero por el contexto de la tumba y por el proceso similar en otras representaciones peninsulares: se trata de la tumba de un hombre que posee caballos, como lo indican dos bocados de bronce conservados. El ibero seguramente se proyecta en la imagen del jinete del vaso. Nice, la Victoria, es aquí un demon o divinidad alada de ultratumba que acoge, con la ofrenda del líquido de la jarra en la patera, al jinete muerto. El vaso griego ha servido, en la tumba del guerrero ibérico, para representar un rito de tránsito: el paso del allí enterrado al reino de allende. Como veíamos en el esquema de Van Gennep, se representa aquí el momento precisamente fronterizo, la llegada al límite que separa ambas esferas. De ahí el personaje alado, representado como Nice, que ha de transportar al jinete al ámbito misterioso y sobrenatural de la muerte.

Mitos sobre el origen del cosmos y los dioses

Las narraciones relativas al origen del cosmos y de los dioses, que acaecieron en un tiempo mítico primordial, es decir, en una época anterior a las generaciones de los hombres, ocupan un lugar central en el pensamiento del primer arcaísmo griego. Origen del cosmos y teogonías se encuentran generalmente relacionados en los poemas de una amplia zona del Próximo Oriente, de Mesopotamia a Anatolia hasta el ámbito sirio-fenicio. Se discute aún el origen semita o indoeuropeo de alguna de estas narraciones. También el mundo griego participa, con rasgos muy concretos, en motivos de ese acerbo común teogónico.

Crátera que representa a Ulises, siglo III a. C., Berlín, Staatliche Museen

En gran medida estas historias cosmogónicas ayudan a crear una orientación del hombre en su representación del mundo. Funcionan pues universalmente –y así lo ha señalado sugestivamente el historiador de las religiones Mircea Eliade– como un modelo arquetípico. Mediante estos mitos conforma su *imago mundi*: el Caos –que etimológicamente es algo así como la separación, el

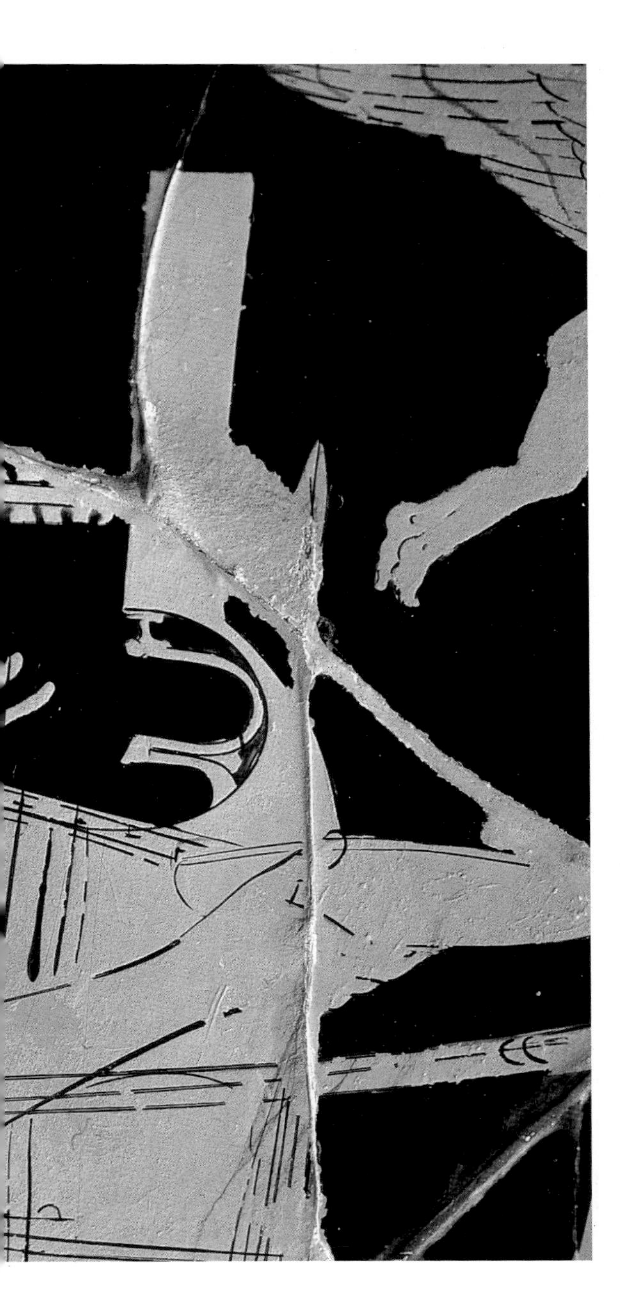

Apolo tocando la cítara, cerámica ática de figuras rojas, siglo V a. C.

Juego del salto del toro, fresco minoico del Palacio de Cnosós, Museo de Iraklion

Jarra de vino (*enócoe*), con una escena de pesaje de telas, siglo VI a C., Viena, Khunsthistorisches Museum

bostezo inicial de la naturaleza– se transforma aquí en un mundo organizado.

Ofrecen estos mitos un modelo dinámico, generativo del cosmos: explican la separación del cielo y la tierra y el paradójico sosten de ambos. Justifican el porqué no se caen y el carácter sólido, firme, de la bóveda del cielo.

Cuentan además estos mitos, dentro de un esquema marcadamente antropomórfico y sexual, las relaciones del cielo y la tierra, con uniones y separaciones sucesivas. Subyace aquí comúnmente un modelo dialéctico de tensión entre contrarios, expresado como lucha y amor cósmicos. Véanse a este respecto los textos de la *Teogonía* hesiódica que recogen de un modo directo y sencillo –y a veces brutal– la historia de los inicios. Otros poemas posteriores cantaron el origen del mundo con idéntica fascinación si bien con un mayor refinamiento erudito, como Virgilio, en la sexta de sus églogas, y Ovidio en los inicios de sus *Metamorfosis*, y antes que ellos el autor helenístico Apolonio de Rodas, que vivió en el siglo III a. C., en el libro I de sus *Argonáuticas* (versos 496 ss.). Puso en boca del poeta mítico Orfeo, al compás de su cítara, el canto del origen del mundo, recogido por todas las antologías.

Pero volvamos de nuevo a las primeras narraciones de origen oriental. Las antiguas cosmogonías espontáneamente se convierten en teogonías que describen las transcendentales batallas de orígenes sobre la sucesión divina. Cabe aquí una lectura más sociológica de estos mitos en cuanto reflejan y justifican modélicamente el establecimiento del poder político en la ciudad.

Dado su carácter las narraciones de *creación* están vinculadas, en ocasiones, a rituales festivos que ponen de manifiesto las antítesis a superar en el transcurso de la fiesta. Así, el poema de la creación babilonio *Enuma Elish* era cantado en las fiestas del nuevo año de Babilonia y al parecer se acompañaba de una especie de drama litúrgico, un modelo que precisamente sirvió de estímulo al movimiento de la escuela antropológica del *Mito y Ritual*, a la que nos referíamos más arriba, para sustentar su teoría. También se ha señalado que estos mitos cosmogónicos formaban parte de encantamientos en curaciones mágicas, lo que documenta la plurifuncionalidad de la narración, su carácter transcendente. El cuerpo enfermo, entendido como una desviación del *cosmos* del individuo, se restaura mágicamente a través de estos poemas dinámicos del *cosmos* universal. Posteriormente, este carácter apaciguador y curativo del canto cosmogónico reaparecerá en el helenismo, en el pasaje de Apolonio de Rodas, citado y recogido en los textos, con la canción de Orfeo: los irritados marinos se serenan al escucharla, reclinan sus cabezas y buscan el sueño.

Hace hoy ya más de treinta años que los historiadores de la literatura griega vieron las relaciones de la *Teogonía* hesiódica con el poema hitita de *Kumarbi* conocido como *El Reinado en los Cielos* (Bernabé, 1987, 146; Burket, en Bremmer, 1987, 19 ss.). Detalles muy concretos entre los mitos de origen hurrita pero transmitidos por los textos hititas y pasajes de la mitología griega prueban una difusión del tejido mítico de la *Teogonía* que se supone tuvo lugar posiblemente en la misma Edad del Bronce, durante la expansión comercial micénica, o en todo caso en la época orientalizante, a partir del siglo VIII a. C., cuando el mundo griego se abre de nuevo al Mediterráneo y al Oriente.

Estela funeraria con una difunta y su doncella, Atenas, Museo Arqueológico Nacional

Gigante construyendo las murallas de la Acrópolis, cerámica ática de figuras rojas

En esta última época temas orientales de estas teogonías penetran en la iconografía griega: el monstruoso Tifón luchará con Zeus en un vaso corintio del siglo VI.

La idea básica de estas narraciones puede resumirse en la lucha de las dinastías divinas que son sucesivamente derrocadas hasta el establecimiento definitivo del dios de la Tempestad. Un primer dios celeste, Urano (Anu en los textos hititas) es vencido y castrado por Cronos (Kumarbi). Pero a su vez Cronos pierde el poder: el dios devora uno tras otro a sus propios hijos, hasta que al nacer Zeus –el dios de la Tempestad– traga por engaño en lugar del niño una piedra envuelta en pañales que le hace vomitar todo lo que con anterioridad había tragado. Otro poema hitita de origen hurrita, *El canto de Ullikummi,* inspirará a su vez el famoso episodio de la lucha descomunal entre Zeus y Tifón de la *Teogonía* de Hesíodo. En el mito hitita el destronado Kumarbi copula con una roca y engendra a un monstruo de diorita –Ullikummi– que intentará derrocar el poder de los dioses. En el poema hitita no se conserva la lucha final del monstruo con el dios de la Tormenta, Tesub, pero se supone también el triunfo definitivo de este último, como en la versión griega. Se han descubierto similitudes demasiado puntuales para poder negar una asociación entre ambos mitos: en el poema hitita, por ejemplo, los dioses se reúnen en el monte Casio, en Cilicia; precisamente en esta montaña se desarrollará la espantosa lucha de Zeus con Tifón, según la versión del tardío mitógrafo Apolodoro.

Las similitudes no se ofrecen exclusivamente con la obra de Hesíodo: otras teogonías, como la órfica, incluyen detalles muy similares con el poema hitita,

Escena de sacrificio sobre un altar, pintura sobre madera, Atenas, Museo Arqueológico

pues aquí es Zeus –y no Cronos– quien desempeña el papel de Kumarbi, cuando devora los genitales del primer rey, es decir, de Urano (Burkert, en Bremmer, 1987, 2).

La literatura y la imaginería griegas están llenas de las representaciones místicas del *cosmos* en Grecia. No se reduce sólo pues a la *Teogonía* hesiódica, si bien es éste el

poema más directamente relacionado con temas cosmogónicos. Estos mitos reflejan un sistema de representación intuitiva del espacio, sirven para ordenar el *cosmos*. Así, el griego de época homérica consideraba que la bóveda del cielo estaba sostenida por uno de los dioses primordiales, de la generación divina anterior a la olímpica, condenado por Zeus a este trabajo eterno y titánico. Se trata de Atlas, *el astuto malvado que intuye los senos marinos y vigila las largas columnas, sustento del cielo* (*Odisea*, 1,54-55).

El medallón de una conocida copa laconia de mediados del siglo VI refleja la visión cósmica de la época arcaica: un gigantesco Atlas sostiene sobre sus hombros el firmamento, concebido como una bóveda sobre la que van clavadas las estrellas. Su trabajo eterno queda reflejado en la barba y cabellera descomunales, sobrehumanas, que indican la duración del castigo. Atlas vivía en el Poniente, donde la línea del cielo debe juntarse con el disco de la tierra, rodeado por las corrientes del río Océano. Refleja oscuramente esta versión un vago conocimiento geográfico del poniente del mundo. En el otro lado del círculo de esta copa –es decir, en el Oriente, en las montañas del Cáucaso– está otro titán, su hermano Prometeo, que permanece también eternamente atado a la columna que sustenta, en este otro extremo, el firmamento.

La base en la que ellos se apoyan –el disco de la tierra– es a su vez sostenida por una columna dórica. De este modo sencillo y directo de la imaginería mítica, el espacio circular de la copa reproduce simbólicamente una representación del *cosmos* en la Grecia del siglo VI a. C.

También el mar tuvo dioses originarios como Proteo –literalmente *el primero*–, anciano del mar *que conoce los fondos del océano sin fin*; o Nereo, otro viejo del mar que fue anterior a la generación de los olímpicos, es decir a Poseidón, el padre de las Nereidas o ninfas que pueblan el ponto y una de las fuerzas originarias y más elementales del mundo. Al igual que Proteo y muchas otras divinidades marinas, era Nereo conocedor y celoso guardián de los secretos marinos y asimismo poseía la facultad de metamorfosearse continuamente, esto es, de ocultar su misteriosa y escurridiza naturaleza bajo las formas animales más diversas, lo que constituía su principal modo de defensa. A través de numerosas representaciones plásticas, especialmente por la cerámica ática de Figuras Negras de finales del arcaísmo, conocemos bien la lucha, cuerpo a cuerpo, que sostuvo Nereo –o Tritón– con Heracles, el héroe colonial griego que pudo obligarle, tras vencerle en el certamen, a que le

Ánfora ática de figuras negras, que representa el combate entre Heracles y Tritón, siglo VI a. C., Marsella, Museo Borely

Ganímedes sirve néctar a Zeus ante Hestia, diosa del hogar, copa, siglo V a. C.

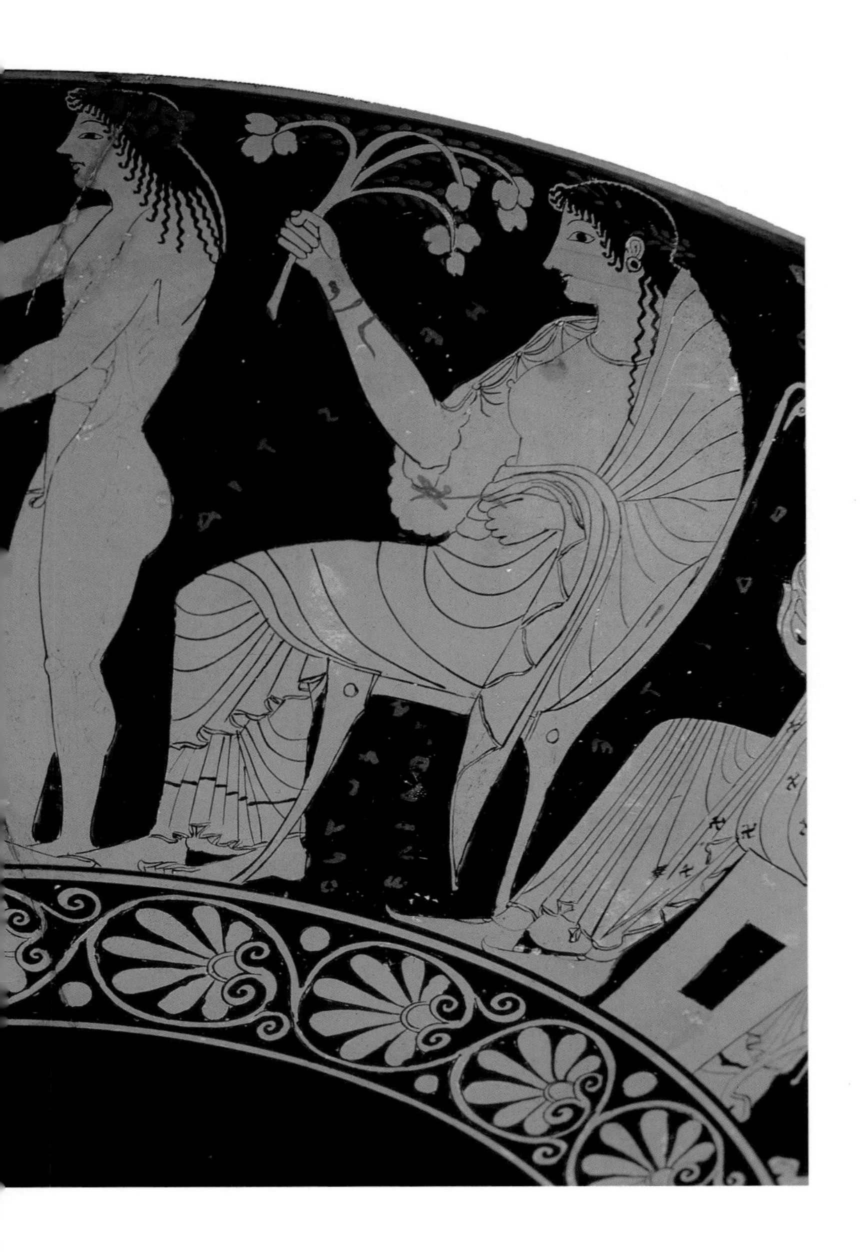

Templo dórico de Hera, en Olimpia, hacia 625 a. C.

descubriera los secretos de las rutas marinas del Occidente.

Vemos a estos dioses primigenios cargados de elementos mágicos, que seguramente esconden relatos de viejas divinidades marinas del Mediterráneo oriental en competencia ahora con las olímpicas, más propias del nuevo panteón griego.

No creyeron los griegos en una creación del mundo de la nada, sino que tendieron a aceptar más bien la representación de que el espacio y el tiempo seguían un movimiento cíclico, circular (Guthrie, 1957, 63). La idea de un continuo retorno a lo que fue antes para recomenzar el proceso de nuevo subyace en algunas de las imágenes cósmicas del hombre griego. La encontraremos en los pitagóricos –vinculada aquí al ciclo de las reencarnaciones sucesivas– y en Platón. La naturaleza, en constante renovación, engendradora, será inspiración de este sentimiento cíclico del tiempo y de la vida. En el canto VI de la *Ilíada* (vv. 119 ss.) Diomedes, hijo de Tideo, pregunta a Glauco su identidad antes de enfrentarse a él en el combate que da gloria a los varones: –*¿Quién eres tú, oh muy valiente, de los hombres mortales?* A lo que contesta Glauco, el de Hipóloco, con estas palabras: –*Magnánimo hijo de Tideo ¿por qué me preguntas mi linaje? Cual es el linaje de las hojas, tal es también el de los hombres. Las hojas, a unas el viento hace caer a la tierra y otras engendran el bosque al rebrotar, y sobreviene la estación de la primavera. Así es la generación de los hombres: una nace, otra cesa.*

Mitos sobre las cinco edades del hombre y el origen de la mujer

Como en los mitos ya relatados de las cosmogonías fue también Hesíodo, pero ahora en otra de sus obras –*Los trabajos y los días*–, quien nos relató el mito de la sucesión de las edades humanas y la creación de la mujer. En este poema Hesíodo nos cuenta su visión sobre el origen y evolución de la historia humana, una historia difícil cargada de esfuerzo y sufrimiento que enmarcará el poeta en una discusión sobre el tema de la justicia *–diké–* y el desenfreno o soberbia *–hýbis–*. Es una obra didáctica, con los consejos que el poeta dirige a su hermano Perses, una incitación a que éste abandona sus litigios y querellas en el ágora sobre las haciendas ajenas. Hesíodo mezcla probablemente en este mito de las edades dos tradiciones distintas –que actúan a modo de cuentos o representaciones populares– buscando crear un sistema único integrador de ambas, lo que no logra del todo: en la historia de las generaciones sucesivas de los metales –oro, plata, bronce e hierro de origen probablemente oriental– intercala la generación, *más justa y virtuosa,* de los héroes o semi-dioses, entre los que sitúa a los guerreros que combatieron *al pie de Tebas, la de siete puertas* y a los que lucharon en Troya, *a causa de Helena, la de hermosos cabellos.* Hoy vive esta generación de los héroes, con un corazón libre de dolores, en las islas de los Bienaventurados, en los confines occidentales del océano.

Precede esta generación a la de Hesíodo, la de hierro, una edad ambigua donde a las alegrías se mezclan de una manera indisociable con las ásperas inquietudes. Y al comienzo del mito se recuerda con añoranza la generación de oro, libre de soberbia o *hýbris*, plena de orden, justicia *(diké)* y felicidad: en esta versión mítica griega del Jardín del Edén oriental, los hombres áureos no conocen la guerra ni la carga del trabajo del campo, ni siquiera la angustia de la muerte, que se sustituye con un dulce sueño.

Como señaló J. P. Vernant en un análisis estructural del mito (1973, 21 ss.) no se desenvuelve éste siguiendo una serie cronológica con sucesivas decadencias (plata,

Poseidón y Amimone,
siglo V a. C., Roma,
Museo Nacional de
Villa Giulia

Relieve votivo con una escena de sacrificio a Heracles, siglo VI a. C.

bronce, etcétera) o degeneración continua. La concepción del tiempo podría ser más bien cíclica: a la generación del hierro sucederá un total desorden con violencia y muerte. ¿Seguirá después una nueva edad de oro? Nada nos dice explícitamente Hesíodo, quien, sin embargo, *no hubiera querido estar entre los hombres de la quinta generación sino haber muerto antes o «haber nacido después»*. Tampoco en autores posteriores habrá alusiones claras a esta vuelta cíclica a la Edad Áurea, la Edad de Cronos, que permitiera al hombre recuperar el paraíso perdido –y ello a pesar de la concepción circular griega del tiempo– pero el tema será popular en la Roma de Augusto con la celebración del *Saeculum Aureum* y la vuelta de los *Saturnia regna* (Guthrie, 1957, 59-60).

En Hesíodo, el origen de todos los sufrimientos de la actual generación de hierro es Pandora, la mujer primordial que Zeus mandó modelar del barro al dios Hefesto en venganza por la entrega del secreto del fuego a los hombres por Prometeo. Precediendo en el mito a las lucubraciones cosmológicas de los presocráticos, vemos aquí al dios de la fragua –es decir, del fuego– tomar tierra y agua para conformar la imagen de un ser vivo. La mujer es en Hesíodo la causa de los males humanos: *A cambio del fuego les daré un mal con el que todos se alegren de corazón acariciando con cariño su propia desgracia*, males por lo tanto ambiguos, como lo es la existencia humana en Hesíodo, donde la alegría se mezcla de un modo inextricable con el dolor. La descripción de los sucesivos adornos de Pandora por los dioses constituye uno de los textos míticos más atractivos de toda la literatura griega.

Afrodita saliendo del baño, copia, Rodas, Museo Arqueológico

Mitos de la contraposición entre la naturaleza y la cultura

También es enormemente seductor el pasaje, que inmediatamente sigue a éste, sobre el origen de los males en el mundo que, escondidos en un pitos o inmensa tinaja, llegaron a los hombres por mediación de

Hera y Atenea, relieve, 403 a. C., Atenas, Museo de la Acrópolis

Epimeteo, el hermano de Prometeo, quien aceptó este don divino sin percatarse de lo que en él se escondía. Abrió la tapa Pandora y los males se diseminaron entre los hombres. Sólo quedó en su interior, sin poder salir, *Elpís*, la esperanza o la simple espera, un rasgo cuyo sentido exacto permanece aún enigmático para los intérpretes modernos.

El mundo griego del arcaísmo fue especialmente sensible a la contraposición de la naturaleza y la cultura. Las primeras lucubraciones filosóficas griegas se preguntan principalmente por el origen del *cosmos*, del mundo exterior al hombre. Pues en gran medida el hombre capta en la naturaleza un poder y una fuerza inmensa que escapa a su control: la naturaleza es divina y, como tal divinidad, en ocasiones temible. Tanto el mito como la iconografía del arcaísmo se muestran obsesionados por la antítesis de fuerzas que emergen de la naturaleza: se concibe el mundo poblado de démones, de monstruos, de seres fabulosos, muchas veces terroríficos y ame-nazantes. Pero también el mundo es una unidad de opuestos y estos seres fabulosos, como las esfinges, las sirenas, o los centauros, las quimeras, mezclan y sintetizan en su compleja naturaleza diversos elementos del mundo animal y hasta humano. Pues el hombre es una parte más de ese universo de fuerzas contrapuestas. El modelo iconográfico de estas representaciones viene muchas veces del Oriente, estimulado por la expansión comercial griega por todo el Mediterráneo desde el temprano arcaísmo.

Las esfinges tienen rostro y torso de mujer –su mirada es atenta, altiva y vigilante–, pero su cuerpo y garras son de león y de aquél brotan poderosas alas. Éstas le permiten una especial movilidad frente a sus oponentes, pertenezcan a esta esfera o a la de la muerte. Los centauros son mitad caballo, mitad hombre y su imagen ha debido grabarse en la retina humana en aquellos lejanos y prehistóricos inicios de la doma de brutos, cuando se sintetizó por vez primera al jinete con el animal. Los griegos representaron a las sirenas como aves con rostro humano. Su voz, con dulzores de miel,

Ganímedes raptado por Zeus, terracota, siglo V a. C., Olimpia, Museo Arqueológico

estaba dotada de un inmenso poder de seducción y, al modo de un imán ineludible, atraía hacia las rocas sobre las que estaban las sirenas posadas a aquellas naves que surcaban el mar en sus proximidades. Sólo un mortal, Ulises, logró escucharlas sin caer en sus brazos. Las canciones de las sirenas y su carácter alado las convierten en seres intermediarios, en démones de tránsito entre este mundo y el de la muerte. Se les ha llamado por ello, con razón, las *Musas del allende*.

Sirenas, esfinges, centauros, todos estos seres mixtos que sintetizan un mundo contradictorio de opuestos, poseen un carácter ambiguo, son siempre ambivalentes: amenazan a la vez que protegen; seducen y aman a la vez que consumen lo que poseen; destruyen a la vez que conocen los secretos para curar. Esfinges, sirenas, sátiros y górgonas –enseguida hablaremos de estas últimas– están dotados de un sobrehumano poder apotropaico. *Apotropein* es un verbo griego que significa hacer girar, obligar a dar la vuelta. Estos seres mixtos inspiran un terror tan profundo con su poderosa mirada que protegen eficazmente su entorno de los demás démones y malos espíritus: el que a ellos se acerca, en el mejor de los casos puede salir huyendo. De ahí que estas representaciones protejan especialmente los espacios sagrados, como son los templos y las tumbas.

Inmensos leones y leonas dominando bajo sus garras a toros agonizantes cubrían los frontones de los templos arcaicos atenienses, que los visitantes pueden hoy contemplar –para estremecerse– encerrados en las civilizadas y luminosas salas del Museo de la Acrópolis. Una Górgona de tamaño extraordinario, enmarcada por dos inmensas panteras, decoraba el templo arcaico de la diosa Artemis en Corfú. Su cabeza era de un tamaño descomunal. Colocada en el espacio central del triángulo del frontón, su rostro miraba de frente para inspirar más terror. Sus ojos inmensamente abiertos lo vigilan todo; sus orejas, frontales, de soplillo, captan el más mínimo sonido; su lengua, grotesca y amenazante, muestra los colmillos y se abre en una sonrisa o mueca extraña; sus cabellos, al igual que el cinturón que ciñe su túnica por la cintura, son serpientes: a quien la Górgona mira, cuenta el mito, queda petrificado. Las otras figuras que decoran el templo, entre ellas un Zeus sentado, son meras miniaturas en relación con la Górgona. Tal vez así se protegía al templo y sus tesoros de los males que el hombre por sí solo no podía dominar.

Sólo un héroe, Perseo, bajo la protección de dos significativos dioses olímpicos –Hermes y Atenea– se atrevió a viajar al lejano país de las tres hermanas Górgonas y, protegido con el casco de Hades que hacía invisible a quien lo llevara, las sorprendió dormidas consiguiendo cortar la cabeza de una de ellas, Medusa. De la cabeza de la Górgona muerta brotó al instante el caballo alado Pegaso. Recogemos este mito –de hecho la historia de iniciación heroica de un efebo– en un texto de la biblioteca de Apolodoro.

Los centauros y los sátiros sintetizan sobre todo la tensión contradictoria entre el hombre y la naturaleza. El arte arcaico representó a los primeros con el cuerpo de un hombre completo, al que se unía el cuarto trasero de un équido. Un centauro de esta época como el hallado en Royos, en Murcia –primera mitad del siglo VI a. C.–, muestra la contradicción inherente a este ser mixto. Su movimiento es desacompasado, no responden las patas de caballo al ritmo de las piernas humanas y el centauro

Artemis, diosa cazadora, hallada en el puerto de Atenas, bronce, siglo V a. C., El Pireo, Museo Arqueológico

Copia romana de un original helenístico que representa a Apolo con la cítara

debe golpear con la mano su propia grupa de animal para intentar poner orden en el caos grotesco de su extraña figura. Su rostro mira aquí frontalmente al espectador, como hace con frecuencia la mayoría de de estos seres mixtos, pues nos comunica así, directamente y sin ambages, su perplejidad, su terror. Poco después se extenderá en el arte griego una representación más modernizada del centauro, ahora ya con el torso sólo de varón y en cambio el cuerpo completo de caballo, imagen que es la más conocida y la definitiva.

Como animales del bosque los centauros y los sátiros –estos últimos se caracterizaban bien por sus orejas puntiagudas y cola de caballo– poseen también una antigua sabiduría que transmiten en ocasiones a los hombres. Nos referíamos más arriba a la educación iniciática que recibió Aquiles niño en el bosque. Su padre Peleo, decíamos, lo confió a Quirón, considerado el más sabio y justo de los centauros. Conocía Quirón los secretos de la medicina del bosque y curaba con hierbas las más diversas enfermedades de los hombres.

Algunos centauros son, efectivamente, seres benefactores a la vez que salvajes, pero la mayoría en cambio no sabe guardar las obligadas leyes de la hospitalidad dejándose llevar de la intemperanza y del desenfreno, es decir de la *hýbris*: tal le acaeció a Heracles cuando fue invitado por Folo, un centauro excepcionalmente cortés y hospitalario, a un banquete en su cueva. Cuando Heracles abrió la tapadera de la tinaja que contenía el vino, los demás centauros, atraídos por el olor desde lejos, le atacaron con furia sirviéndose en la descomunal batalla de armas tan primarias y naturales como las ramas del bosque y grandes piedras. El héroe griego supo al final vencerles con un arma más sofisticada, sus flechas.

No acertaban los centauros a ser mesurados ante el vino y menos controlar su deseo lujurioso ante las mujeres. En la famosa boda de Hipodamía con Pirítoo, rey de los lapitas –boda a la cual por cierto acudió también el ateniense Teseo por su amistad con el novio– los centauros, borrachos como estaban, trataron de raptar y violar a las muchachas durante la fiesta y, entre otras, a la misma novia. La batalla mítica fue conmemorada en numerosas obras de arte, entre otras en las metopas del Partenón, y sirvió siempre como paradigma del triunfo griego –y más concretamente el ateniense– sobre las fuerzas de la barbarie y de la *hýbris*.

Los dioses encarnaron también la dualidad entre la naturaleza y la cultura. Una de estas diosas de *exteriores* fue Artemis, a la que en el mundo arcaico encontramos asumiendo funciones de *pótnia therôn*, es decir, como *Señora de las fieras*. En muchas representaciones la hallamos cogiendo del cuello a diversos animales –por ejemplo, ánades– y rodeada heráldicamente de muchos de aquellos seres monstruosos y fabulosos que páginas atrás hemos visto, a ella sometidos. Sólo la divinidad resulta capaz de dominar y contener este mundo de violentas fuerzas contrapuestas. El enfrentamiento agonal y contradictorio de la naturaleza se supera en plácida coexistencia tan sólo a través del poder de esta diosa. Tal vez por eso hallamos a veces, pacíficamente afrontados en las representaciones del arcaísmo, a una pantera y un cervatillo junto con las escenas más comunes de lucha y enfrentamiento feroces.

Del mismo modo Dioniso, como dios de la vegetación, de lo que brota, de lo eternamente verdeante, sintetizará esta dualidad en que se apoya el *cosmos*. A finales del siglo V a. C., Eurípides nos describe maravillosamente en *Las Bacantes* esta contraposición constante que está en la base no sólo de la religión dionisíaca, sino también de aquellas otras que se enraízan en los ciclos de la vegetación. En la quietud que transmite el dios de la vid fecunda, las ménades de su cortejo pueden llegar a amamantar a los cabritos. La

Estatua de Marsias, Roma, Museo Vaticano

Figura de Tanagra, terracota, siglo III-II a. C., Atenas, Museo Kanelópulos

naturaleza se funde y compenetra en una amistad que supera las fronteras de cada esfera concreta. Pero esta misma quietud bienaventurada se torna furor y movimiento con la irrupción de la locura báquica. En una y otra vertientes las Bacantes –y con ellas toda la naturaleza– se transforman en dios, se entusiasman. El dionisismo es una manifestación religiosa extática, que afectó de un modo especial al ámbito social de la mujer en la Grecia clásica.

Dioses y héroes intervinieron en los diferentes episodios que permitieron a los hombres beneficiarse de la cultura: Dioniso enseñó a los hombres el cultivo de la vid; Deméter encargó a Triptólemo que recorriese el mundo sembrándolo de trigo, para lo cual el joven héroe utilizaba un trono alado que, a modo de un carro, le iba guiando por todos los rincones de la Tierra. El frontón occidental del Partenón en la Acrópolis ateniense narraba un mito etiológico, la disputa de los dioses Poseidón y Atenea por el dominio del Ática. Poseidón otorgó el don del caballo y Atenea, que salió triunfadora del certamen, les concedió el olivo. También los héroes fueron bienhechores: Prometeo enseñó a los hombres el uso del fuego, bien celosamente guardado por Zeus, y que robó del Olimpo escondiéndolo en una caña hueca, tal como relata Hesíodo en *Los trabajos y los días* (vv. 50 ss.). En el *Prometeo encadenado* de Esquilo, el héroe, al que Zeus encadenó en las montañas del Cáucaso donde un águila le devoraba continuamente el hígado, explicará con detención ante el coro de las oceánidas todos los inventos que ha aportado a los hombres para despecho de la divinidad celosa (vv. 436-506). El *logos* filosófico retomará este mito prometeico para explicar el origen de la cultura en el *Protágoras* de Platón (320 c).

Muchos de los mitos de los héroes, como los de Heracles y Teseo, pueden leerse bajo la óptica del enfrentamiento entre naturaleza y cultura. Heracles, un héroe asociado a la expansión colonial del griego hacia los confines bárbaros –especialmente en el Occidente– fue considerado un héroe *alexikakós*, es decir, liberador del mundo de males, de monstruos y fieras. Se enfrenta, por ejemplo, con Alcioneo, un gigantón conocedor de *h´ybris* y malos modales –como Polifemo– que apacentaba rebaños en Palene. A él se acercó Heracles, armado con clava, arco y flechas, para sorprenderle, como Ulises a Polifemo, en su sueño de bestia. Lucha Heracles también con Anteo, utilizando en este caso las estratagemas de la cultura y las artes de la palestra.

Al igual que Alcioneo, Anteo no podía ser vencido mientras estuviera en contacto con su madre, Gea o la Tierra. Con una llave atlética, Heracles logra levantarlo en los aires y, desprovisto así Anteo del contacto regenerador de Gea, llega a ahogarle.

Otros episodios tendrán una relación más directa con la presencia comercial griega en Poniente. En su fabuloso viaje al extremo occidente –para el cual robó al Sol su cuenco en el que el dios descansaba durante su regreso nocturno al Oriente– hubo de combatir Heracles con el monstruoso Gerión, que habitaba la isla Eritía, junto al océano. Poseía Gerión, hijo de la oceánide Calírroe, tres cuerpos y tres cabezas unidos por el vientre. Heracles, primero con flechas y luego en combate heroico cuerpo a cuerpo –el monstruo al enfrentarse con el héroe renuncia a su inmortalidad–, logró vencerle robándole sus ricos rebaños de bueyes que a continuación llevó a Grecia, ante el cobarde Euristeo.

Representación de Apolo, relieve, siglo II a. C., El Pireo, Museo Arqueológico

El motivo fue reelaborado por el arcaico poeta de Hímera Estesícoro, la *Gerioneida*. El mito sirve al poeta para referir una realidad histórica contemporánea, la expansión comercial jonia más allá de las columnas de Heracles, su descubrimiento del emporio de Tartessos, al que el poeta llama de *fuentes de raíces de plata*, una alusión a la riqueza en plata de la zona, que por estos años despierta un enorme interés entre los marinos y

Dionisio ofreciendo una copa a su padre, Zeus, crátera, siglo V a. C.

aventureros griegos. Heracles, venciendo a Gerión y apoderándose de sus riquezas, es el modelo mítico de ese marino griego.

También Teseo, en el largo viaje de iniciación de Trecén a Atenas, liberó el camino de los múltiples monstruos que acechaban a los viajeros. No conocen éstos las leyes de la hospitalidad con el extranjero y abusan de los que pasan por sus entornos. La ley de estos gigantes es la *hýbris*, tanto para con los hombres como para con los dioses. Luchó Teseo con Procustes, bien llamado *el golpeador*, pues obligaba a los viajeros a tumbarse en un lecho donde les golpeaba salvajemente con un martillo hasta que adaptaba su cuerpo a la longitud de aquél. Luchó con Sinis, el *pityocamptes* o *doblador de pinos* que habitaba en las proximidades del istmo de Corinto. Tenía la costumbre Sinis de atar a sus víctimas a pinos doblados previamente, que luego soltaba con violencia aplastándolas contra el suelo. Luchó además con Cerción y con la jabalina de Cromio y con el devastador Toro de Maratón, al que hizo caer en lazos previamente con ingenio preparados: representa Teseo –como primero Ulises y Heracles– la superioridad de la cultura griega, ahora de la *polis* donde aprende el efebo las artes de la palestra.

Representan pues estos mitos el enfrentamiento de la cultura a las fuerzas hostiles de la naturaleza. En esta línea –siempre con la versión política– cabe leer la más famosa de las hazañas de Teseo: su victoria contra el Minotauro, hijo de los amores bestiales de una mujer –Pasífae– con un toro encerrado por el rey Minos en lo más intrincado del Laberinto de Creta. Son también estos mitos modelos iniciáticos del efebo ateniense.

A quien se aproxime a cualquier manifestación artística –literaria o plástica– del antiguo mundo griego le llamará enseguida la atención el juego y el diálogo continuo que se establece entre los hombres y los dioses. Cualquier manifestación de la vida, hasta en sus aspectos más cotidianos y sencillos, podía ser considerada por los griegos como una epifanía divina que se tiñe por la presencia pasajera, efímera, de algún dios. Esta concepción tan dúctil y cambiante de lo divino es maravillosamente recogida en las páginas del helenista británico W. K. C. Guthrie, quien parafrasea una anterior idea del gran filólogo y erudito alemán Wilamowitz.

En los poemas homéricos los dioses intervienen una y otra vez en los asuntos de los hombres. Hay un continuo movimiento divino –los dioses llegan, actúan, se van– en el ámbito heroico. Unas veces adquieren apariencia animal y muchas otras, humana. En el ya citado diálogo del canto VI de la *Ilíada* entre Glauco y Diomedes, le pregunta éste a su contrincante (vv. 123 ss.): *¿Quién eres tú, valiente, de los hombres mortales? Si eres algún inmortal que has venido del cielo yo no querría combatir con los dioses olímpicos.* Está claro que no tenemos aquí una mera pregunta retórica. Y en el canto III del mismo poema los ancianos troyanos, sentados en los muros de la ciudad asediada, comentan admirados y asustados ante la aparición de Helena cuán terriblemente se asemeja su aspecto al de las diosas inmortales (v. 158). Un poco antes Iris, la mensajera de los dioses, se ha presentado ante Helena tomando la apariencia de Laódice, su cuñada.

Hay un continuo diálogo entre dioses y hombres, a quienes además de la bebida y el alimento (toman aquéllos néctar y ambrosía; nosotros, vino y pan) y un modo de vida más fácil o penoso, separa sobre todo el abismo difícilmente franqueable de la inmortalidad. En el poema de *Gilgamés,* dentro de un pensamiento característico de la mitología del Próximo Oriente –el héroe viaja angustiado en busca del secreto de la inmortalidad que conoce el lejano Ut-Napistim: él le enseña la planta que renovaría en el hombre el aliento

Ninfa en un relieve que decoraba una metopa del templo de Hera en Argos, 423 a. C.

de vida, que le haría regresar a los tiempos de la juventud (tablilla XI)–. Manifiesta la mitología griega una cierta reticencia a este tema que llamaríamos fáustico. Hay aquí posiblemente una reacción consciente y madura ante esa pretensión inútil de inmortalidad. A través del mito, el griego ha asimilado que es preciso aceptar los límites humanos y en su pensamiento la muerte representa el límite fundamental del hombre.

Diosa de los animales, minoica, loza, 1700-1500 a. C., Museo de Iraklion

Los amores de los dioses con los hombres son la expresión más viva de este dramático diálogo en el que se expresa el deseo de perdurabilidad imposible que enseguida tiñe la crítica griega del mito. Eos, la Aurora de *rosados dedos*, se enamoró del niño Titono, con quien se unió en su lecho de diosa. Como recompensa de este *hierós gámos* pidió la Aurora a Zeus que concediera al efebo el don de la inmortalidad. Sin embargo, no pudo Titono evitar la vejez y fue cargándose de infinitud de años.

Hay en la versión griega una alusión al mito oriental, y un rechazo similar al que encontramos en el sugestivo y dramático diálogo entre Calipso y Ulises en el canto V de la *Odisea*: enamorada del hombre, la diosa le ofrece la inmortalidad, a cambio de que permanezca con ella en la isla. Pero Ulises renuncia y prefiere a su mujer mortal, Penélope, que no a la diosa.

Heródoto concibió el devenir de la acción humana cargada de presencias divinas. En su narración, el *logos* mítico se entremezcla continuamente con el que nosotros llamaríamos más propiamente histórico. En las guerras médicas, por ejemplo, los dioses intervienen en la batalla de Maratón junto a los griegos. Y para Heródoto y sus auditores no fue otro sino Bóreas, el divino Viento del Norte, quien en el año 480 a. C. hundió a la armada persa en las proximidades del cabo Artemision, en la costa norte de la isla de Eubea.

De un modo similar el arte griego representó en sus narraciones míticas esta relación divina-humana situándola en un mismo plano espacial, el de los hombres. No son infrecuentes las imágenes de época clásica –por ejemplo, en la cerámica– en las que un mortal percibe la fugaz aparición divina. Muchas veces se limita aquí el hombre a ser el testigo de la actuación del dios. Podrían paralelizarse muchas de estas escenas con la similar presencia del dios en los relatos míticos contemporáneos, como los mismos de Heródoto, o los trágicos.

El friso corrido que rodeaba el muro de la *cella* del Partenón narraba la fiesta en que los cuidadores de Atenas y los dioses del Olimpo se aprestaban a cumplir con la ofrenda del nuevo peplo ante la mirada silenciosa de la Atenea *Parthénos*. En el centro de la composición de Fidias, precisamente ante los ojos de la diosa –la famosa estatua crisoelefantina de Fidias, en el interior de la *cella*–, el sacerdote dobla cuidadosamente el viejo peplo que deposita en manos de un niño. Los dioses aguardan informalmente, felizmente recostados en sillas allí dispuestas para ellos, la llegada de la procesión que sube a la Acrópolis desde el Ágora por la Vía de las Panateneas. En los relieves fidíacos los participantes se preparan y se ponen en marcha. Cada uno parece ocuparse de su cometido, no salirse de su esfera propia. Y cumplen también los dioses con su papel al conversar ociosamente entre ellos, en medio de la actividad humana. En determinadas fiestas ciudadanas los griegos esperaban la participación de los dioses y en honor a estos huéspedes de excepción preparaban cuidadosamente los lechos divinos, como si efectivamente su llegada junto a los hombres se pudiera cumplir en cualquier instante.

Otras veces, al contrario, eran los dioses quienes invitaban a los mortales a sus lechos festivos. Era un modo de expresar la heroización de éstos, el acceso del hombre al rango divino. Vimos ya expresado el mito, en su manifestación amorosa, en el deseo de unirse en el

Cabeza de la diosa Atenea, terracota, siglo V a. C., Olimpia, Museo Arqueológico

Templo de Atenea Afaia, en la isla de Egina, construido hacia el año 500 a. C.

lecho una diosa y un hombre, como Calipso y Ulises. Un día un dios, Dioniso, invitó a su lecho a una mujer, Ariadna. Ésta había sido mal pagada en su amor por Teseo, que la abandonó sin excesivos escrúpulos en la isla de Naxos, aprovechando que dormía y olvidando enseguida la ayuda que, como hija de Minos, le había prestado para escapar triunfante del Minotauro en Creta. Al despertar Ariadna se dio cuenta de la ingratitud de Teseo, pero al tiempo se encontró ante la presencia del dios que, fascinado ante ella, le ofreció un nuevo amor. Tuvo Ariadna la fortuna inusual de cambiar el amor de un mortal por el de una divinidad. Siempre es posible encontrarse con un dios en un simple abrir de ojos, nos enseña –como muchos otros mitos griegos– la historia de Ariadna.

También Heracles, héroe glotón y bebedor más que ninguno, participa de la bebida común de Dioniso en no pocas escenas arcaicas de banquete. Sirve abundante comida y vino, con apresuramiento y servicialidad

Cabeza de Atenea en el anverso de un tetradracma de plata de Atenas, hacia 520-510 a. C.

inusitada, al abigarrado cortejo de los inquietos sátiros. Sumergidos en vapores de amistad, Dioniso y Heracles se ayudan mutuamente, cogidos por el hombro, en las indecisas marchas que despedían al final de estos largos simposios. Así nos lo cuenta alguna copa ática de finales del siglo V. No todos somos Heracles para gozar tan de cerca, como en estos vasos, de la comunicativa compañía del dios del vino, pero sí nos queda la esperanza de que los dioses participen en nuestras fiestas como comensales. Al despedir la bebida se liba en honor del *agathós daimon* –el Buen Numen, un precedente de nuestro Ángel de la Guarda– una copa de vino sin mezclar. *Alégrate, Buen Daimon*, dice el saludo en griego de un mosaico tardohelenístico de la colonia griega de Ampurias, decorando la entrada de una pequeña sala de reuniones de hombres en torno al vino. En cualquier momento el dios puede aparecer en el simposio –son ellos como el dios amigos de bebidas– y por ello es prudente propiciarlo.

Alejamiento y cercanía constituyen pues una polaridad en tensión continua que refleja bien tanto el mito como el ritual griego. Sabido es que los dioses olímpicos viven lejos, y que no se ocupan demasiado de los asuntos humanos. Al menos esta sensación tenían los griegos en un momento de crisis religiosa –y de hundimiento de los viejos ideales ciudadanos– como lo fue el siglo IV a. C. y el posterior helenismo. Desde Homero los dioses se sirven de mensajeros divinos que salvan las enormes distancias con el poder mágico de sus alas o de sus sandalias voladoras: Iris es la veloz mensajera del Olimpo; y Hermes, calzado con botas doradas y acompañado siempre de la varita mágica de su caduceo, fue el heraldo divino que surcaba tierra y mares para comunicar las decisiones olímpicas a los

Escena de gimnasio, relieve, Atenas, Museo Arqueológico Nacional

dioses y a hombres. Un día hubo de llevar un mensaje inmortal a un simple mortal como Paris. El príncipe-pastor troyano hubo de decidir en soledad, revestido aquí de una autoridad superior a la de los olímpicos, cuál era de las diosas la más bella. Paris se decidió en su juicio por Afrodita, quien en recompensa le otorgó el amor de Helena, ganándose el despecho de las otras dos

competidoras, Hera y Atenea. Pero el mito reflejaba en sus funestas consecuencias la intensa contradicción que acarreó este diálogo entre los dioses y un humano: juzgar a un dios, aunque atractivo por lo inusual, es en definitiva *hýbris*, y el desenfreno que es toda *hýbris* desencadena irremediablemente un desastre tras otro. Del Juicio de Paris surgirá el rapto de Helena y de aquí

Victoria alada, relieve que decoraba el templo de Atenea Niké en la Acrópolis

la guerra de Troya con la cólera de Aquiles y la muerte de tantos héroes y guerreros por ambos bandos, como se lamenta en sus primeros versos el cantor de la *Ilíada*.

La crisis de los dioses olímpicos en el siglo IV, decíamos, se justificó, en parte, por su lejanía. Cada vez se hicieron aquéllos más lejanos y por tanto resultaba más difícil encontrarlos y dialogar con ellos. En el helenismo –y el cristianismo reflejará maravillosamente y con su estilo propio esta tensión, con la llegada definitiva del Mesías– los hombres tuvieron la esperanza de encontrar a dioses más próximos que los olímpicos, dioses que efectivamente bajaran a la tierra. Los nuevos monarcas helenísticos, inspirándose en el modelo oriental que adopta Alejandro Magno, acabarán convirtiéndose en los nuevos dioses hechos carne que el hombre anhelaba desde antiguo. Son algunos de estos monarcas hombres divinizados *epekooi* y evergetas, es decir, que saben escuchar, atentos y bienhechores. Una vez más vemos aquí la continua dialéctica del mito con la realidad.

No es el mito una mera historia fantástica y bella –como creyeron los románticos–, sino algo muy directamente implicado con la misma vida. Un monarca del primer helenismo como Demetrio Poliocertes –que vivió a caballo entre los siglos IV y III a. C.– erigirá su propia estatua de culto en el Ágora de Atenas. Cuando entró triunfante en la ciudad las gentes le cantaron un Peán o canto de victoria, otrora dedicado preferentemente a los dioses. Su efigie se bordará, junto a otras divinidades, en el peplo sagrado que se ofrendó a la diosa Atenea con ocasión de los festivales de la ciudad. Y no dudó el desaforado Demetrio en instalar su vivienda en la Acrópolis, en el mismo Partenón. Nadie hubiera osado antes habitar –y llenar de excrementos– el templo de una diosa. Uno de los padres de la Iglesia griega –Clemente de Alejandría– llegó a referir de él su frustrado intento de hacer el amor con la misma estatua de Atenea. Creo que es posible ver en esta extraña historia un rito de hierogamia, semejante al que tenía lugar en Chipre y en Oriente para acceder a la realeza: sólo su unión sexual con una diosa podría abrir la iniciación del hombre al *status* divino. De nuevo se muestra aquí, ante los más conservadores o respetuosos ojos del griego, la *hýbris*, la medida sobrepasada.

La encarnación del héroe antiguo en la figura del monarca se extendió en todo el Mediterráneo con el helenismo. Pirro, que se enfrentó abiertamente a los romanos, se consideraba descendiente y émulo de Aquiles. Y al Oeste, un cartaginés helenizado como Anıbal pudo proponerse encarnar los rasgos de un viejo héroe colonial de Occidente, como lo era desde muy antiguo Mel-qart-Heracles, el viajero *alexikakós*, al que veíamos liberar de fieras y de monstruos los caminos y parajes inhóspitos por él descubiertos.

Las monedas de Aníbal, acuñadas en Hispania con ocasión de la Segunda Guerra Púnica, nos muestran la efigie de un joven imberbe, idealizado, con la clava heroica sobre su hombro, al modo del Heracles griego. Es posible que entre los iberos del siglo III a. C. su imagen actuara con la pregnancia de un mito vivo: se pudo ver en él, efectivamente, a un dios hecho hombre, lo que tenía consecuencias vitales en una guerra como la emprendida por el caudillo cartaginés.

Vemos, pues, cómo el viejo diálogo mítico entre dios-hombre adquiere con el transcurso de los años formas y matices nuevos, incluyendo estos casos de manipulación política.

Nereida a caballo, del templo de Asclepios en Epidauro, Atenas, Museo Arqueológico

Aspectos de la religión de la polis

En la Grecia clásica, mito y ritual se ven enmarcados habitualmente en el ambiente comunitario de la *polis*. La fiesta suele ser de hecho una forma colectiva de participar en la vida oficial de la ciudad, a través del espejo del ritual sagrado. En el contexto ciudadano de la Grecia arcaica y clásica tienen lugar tanto las recitaciones

La Diosa Atenea, siglo VI a. C., Atenas, Museo de la Acrópolis

hímnicas en honor de los dioses como los sacrificios, las procesiones, los certámenes y los concursos gímnicos que se asocian muchas veces a los héroes del lugar y a los antepasados, en un deseo de mantener a la colectividad vinculada a los orígenes. El mito común y el ritual actúan aquí como aglutinante que da cohesión social. Pero también algunas de estas fiestas revestían un carácter supraciudadano, nacional, como las celebraciones y certámenes que se establecían en torno al santuario de Zeus en Olimpia, o las llamadas Pitias que tenían lugar en el santuario de Apolo en Delfos.

Cada *polis* proyectaba y contrastaba aquí su poderío y particular grandeza en el esplendor colectivo. Tal era el sentido político de la fiesta.

También en Atenas se celebraban cada cuatro años las Grandes Panateneas en honor de Atenea como diosa epónima, es decir, la que da nombre a la ciudad. Tenían lugar con esta ocasión numerosos certámenes atléticos, como carreras de hoplitas –guerreros armados– y de carros como en Olimpia. En esta ocasión se desarrollaban además rituales muy específicos, como la carrera del *apobates*, representada en numerosos vasos atenienses de la época clásica y la *lampadedromía* (Brelich, 1969, 324-6). El *apobates* era un guerrero armado que debía descender del carro en marcha. Se atribuye la fundación de este juego a Erictonio *(el nacido de la Tierra)*, uno de los más originarios héroes atenienses. En la *lampadedromía*, corredores con antorchas se transmitían así, ritualmente, el mantenimiento y cuidado del fuego sagrado.

El programa iconográfico del Partenón, que se promueve con Pericles y que dirige Fidias a mediados del siglo V a. C., subraya con especial énfasis esta concepción colectiva del mito que se vincula a la *polis*. Nos hemos referido en el apartado precedente a la participación de toda la ciudad en el festival de las Panateneas que culmina con la ofrenda ritual del peplo nuevo a la diosa, tal como relata el friso corrido del *perípatos* o pasillo en torno a la cella o sala interior del templo. Las metopas del Partenón contaban las diversas luchas míticas que tuvieron lugar en el remoto pasado

Artemis Efesia, diosa de la fecundidad, copia romana de un original griego

y que justifican el actual orden establecido en la *polis*. El mito no es, pues, aquí leyenda vacía, sino, muy al contrario, historia, pasado real que justifica el presente, en definitiva y con otras palabras, propaganda de la preeminencia griega y, más en concreto, ateniense. Estas metopas del Partenón –a emulación de las de Olimpia, que relataban los trabajos de Heracles– referían la gigantomaquia, el mito del combate de los dioses con los gigantes que justifica el actual orden divino de los olímpicos, que en su mayoría son divinidades políadas o ciudadanas, como Atenea; había también una Amazonomaquia y un Saco de Troya, donde se referían las hazañas que realizaron los griegos –con la especial participación en ambos casos de héroes atenienses, como Teseo– y una Centauromaquia, metopas éstas que el tiempo nos ha conservado y transmitido mejor que en los restantes casos y que constituyó –ya lo dijimos más arriba– un mito típico de exaltación ateniense.

Tal vez parezca superfluo insistir en que el griego no veía en estas narraciones una mera historia fantástica sino su historial real, su propio pasado, de un modo similar a como más tarde el judaísmo y hasta el mismo cristianismo han aceptado, mediante una interpretación literal estricta, los relatos de la Biblia. A su vez, los dos frontones contaban la historia sagrada de la diosa Atenea: el oriental, que iluminaba el sol del amanecer, su nacimiento; el occidental, que se tornaba rojizo con el sol de la tarde, su hazaña de la madurez, el triunfo de la diosa sobre Poseidón en el certamen sobre el dominio del Ática.

Estos frontones tenían una función similar a la de los himnos en honor del dios. Hace algunos años, Erika

Simón estableció paralelos muy estrechos entre el himno a Atenea y la descripción del nacimiento, del frontón oriental. Vemos cómo Fidias ha buscado atenerse aquí muy estrechamente a la vieja tradición religiosa de la ciudad que celebra a su diosa.

En este caso el frontón actúa simbólicamente como un espacio cósmico. Todo el entorno divino reacciona ante el magno suceso olímpico. En un ángulo los caballos guiados por Helios, el dios del sol, se encabritan cuando asoman por el borde la tierra para remontar el cielo expresando de este modo su asombro ante el nacimiento inesperado. En el otro extremo del frontón, es Selene, la Luna –o más bien, *Nyx*, la Noche, como propone E. Simon– la que hunde sus caballos en el ponto. Cada divinidad reacciona aquí matizadamente a su manera propia, refleja el nacimiento de un modo diferente. El centro lo ocuparían, naturalmente, la majestuosa figura de Zeus, sentado en una roca, y la diosa, que nació armada de la cabeza de su padre, hoy ambos personajes perdidos. Merece la pena comparar la descripción plástica de Fidias con el pasaje del himno que recogemos en los textos.

También los rituales y mitos griegos de la ciudad viajaron con la expansión colonial griega hacia las fundaciones de los más remotos puntos del Mediterráneo y del mar Negro. Cada ciudad tenía su fundador, el llamado *oikistés*, cuya función principal era la de guiar a la comunidad, generalmente a través del mar, hasta su asentamiento definitivo. El *oikistés* estaba revestido de un poder sagrado, que le facultaba para interpretar los signos y momentos adecuados para asentarse en un lugar determinado y no en otro, el

Palas Atenea (escultura de bronce del siglo IV a.C., Museo Arqueológico del Pireo)

Aquiles mata a Pentesilea (decoración de un ánfora de Exequias, datada hacia los años 530-520 a.C., Museo Británico, Londres)

fundar altares y templos así como el establecer las tumbas de héroes y demás rituales sagrados. Los griegos crearon –o mejor, transformaron– toda una mitología asociada a la colonización: previamente a ellos, suponían que habían viajado al lugar héroes del pasado para preparar su llegada. Ya lo vimos con el Heracles *alexikakós*.

Muchos de los héroes griegos que combatieron en Troya habrían llegado, tras los más diversos avatares, a todos los confines de la *Oikoméne* o mundo habitado, como cuentan en su lenguaje ambiguo y poético los diferentes –y más bien tardíos– mitos de los *Nóstosi* o regresos. Entre estos héroes, se dice que el ateniense Menesteo llegó al Sur de la Península Ibérica, fundando un oráculo sagrado más allá de las columnas de Hércules. Algunos historiadores tratan de situar esta leyenda enfrente de Cádiz, en la desembocadura del río Guadalete. Como Menesteo es un héroe ateniense la leyenda de su oráculo se ha puesto hipotéticamente en relación histórica con los contactos comerciales que tienen lugar entre Atenas y Cádiz a partir del siglo V a. C.: las salazones gaditanas –la llamada *murena tartésica*– son bien conocidas por los atenienses de época clásica. El mito o la leyenda de la presencia de Menesteo en Occidente –si bien sea de esta misma época clásica o incluso de un momento más tardío– podría responder pues a un afán griego por justificar una realidad comercial existente. A esta clase de mitos se les llama etiológicos, pues sirven para explicar la *aitía*, es decir, la causa de tal o cual fenómeno histórico. Muchos de ellos, como estos mismos de los *Nostoi*, son reelaboraciones tardías del helenismo o de la misma romanidad.

El griego en ultramar

Ya la *Odisea* homérica había prefigurado la realidad comercial y colonial griega del temprano arcaísmo bajo el lenguaje poético, es decir, arropando la expansión marítima de los jonios con narraciones míticas, con cuentos de marinos, con leyendas. En gran medida el Ulises homérico es un héroe colonial, o mejor, viajero. La historia de Calipso –que ya hemos citado anteriormente– o la misma de Circe esconden un fondo de religión *de exteriores*, con rasgos comunes a otros pueblos marinos del Mediterráneo. Circe y Calipso son divinidades femeninas conocedoras de rutas y de misteriosos arcanos que inspiran las lejanías, que llevan incluso al héroe a acceder al reino de los muertos, como refiere el canto XI de la *Odisea*, la llamada *Nekyia*. A la boca del infierno se acerca el héroe para evocar a los muertos y consultar al adivino Tiresias. Por extraño que nos parezca hoy son estas funciones propias, obligaciones ineludibles, de todo héroe fundador: solo él –y no un simple mortal– puede penetrar en el ámbito de una tierra desconocida como utopía posible y, analógicamente, en el más allá, como utopía externa.

Se ha señalado que esta religión de exteriores, que suponía una ruptura radical con la cotidianeidad, con la religión del hogar, comportaba una actitud psicológica especial, por ejemplo ante el tema de la relación sexual. Las divinidades orientales protectoras de la navegación se vinculan al ámbito femenino y guerrero y se asocian a su vez a la prostitución sagrada, a la *hetería*. Estas diosas –Astarté, en el mundo fenicio; Afrodita, en el griego– constituyen el eje de una religión portuaria con implicaciones comerciales y coloniales muy específicas.

El marino podía cumplir con los ritos del amor no tanto directamente con la diosa –como Ulises con Calipso– cuanto, analógicamente, con una de sus *hierodulas* o siervas sagradas: las prostitutas o heteras del santuario. Esta relación era una parte integrante, y muy relevante, de la realidad económica del comercio y de todos estos santuarios portuarios (Pafos –en Chipre–, Cnido, Náucratis, Corinto, Erice –en Sicilia–, Cartago, Cádiz, etcétera).

En el episodio de Ulises y Calipso tenemos el modelo de esta relación religiosa: el héroe se une aquí a la diosa en un ritual que en Oriente –por ejemplo, en la fenicia Pafos– estaba reservado exclusivamente al rey. Mediante la hierogamia o matrimonio sagrado accedía de hecho el monarca al ámbito de la realeza. Calipso parece pues una manifestación local de esta diosa de los

Aquiles y Ajax jugando a las damas durante el asedio de Troya (detalle de la decoración de un ánfora, fechada hacia el año 530 a.C., de Exequias, Museo Vaticano)

marinos. Vive en una isla muy alejada del mundo, en una cueva –como tantas otras divinidades de este tipo– conoce los secretos del mar y de la tierra: ella le lleva a Ulises al bosque donde le mostrará al héroe la madera de los árboles para construir la balsa de su viaje de vuelta a Itaca. Calipso le indica además los pormenores de la ruta de regreso, el rumbo de las estrellas que Ulises deberá seguir por la noche, una característica por cierto de la navegación fenicia a largas distancias, frente a la navegación costera, de cabotaje, y diurna, anteriormente utilizada por los griegos. Cumple aquí Calipso con la función oracular que encontraremos posteriormente en todo viaje colonial: el héroe, decíamos, recibe directamente del oráculo divino las instrucciones para hacerse a la mar y fundar una colonia.

De nuevo vemos mezclada la historia y la ficción mítica en muchas de estas narraciones poéticas. Pero el historiador moderno, obligado en su quehacer científico a discernir entre ambos tipos de *lógoi*, no puede hoy servirse de estas narraciones tomándolas en un sentido estrictamente histórico. Podrán servirle sólo –y no siempre– como indicio de una realidad perdida que el mito, de una u otra manera, reviste y recoge como un eco transformado por la creación poética.

Será pues preciso además, para obtener una determinada conclusión histórica, una *evidencia* o constataciones de otro tipo.

Principales divinidades y héroes griegos mencionados en el texto

Divinidades primordiales y preolímpicas

Gea. *La Tierra, como diosa primordial, esposa de Urano, al que a su vez engendró, y madre de los Titanes y de Cronos.*

Urano. *Divinidad primordial del Cielo, esposo fecundador de Gea. Dejaba a sus hijos encerrados en las entrañas de la Tierra. Fue finalmente castrado por Cronos. De la sangre de esta emasculación, caída sobre el mar, nacerá Afrodita.*

Cronos. *Hijo de Gea y Urano al que castra con una hoz en complicidad con la madre. Esposo de Rea. Devoró a todos sus hijos hasta que, al nacer Zeus, Rea le engañó, haciéndole tragar una piedra. Fue destronado por Zeus.*

Atlas y Prometeo. *Titanes, hermanos, condenados por Zeus. Atlas sostiene la bóveda del cielo. Prometeo robó el fuego celeste, que entregó a los hombres.*

Proteo, Nereo y las Nereidas. *Dioses originarios del mar, cuyos secretos conocen y guardan. Nereo es padre de las Nereidas, las cincuenta ninfas del mar, entre las que se encuentra Tetis. Asumirá en parte sus funciones el olímpico Poseidón.*

Generación de los dioses olímpicos

Zeus. «Padre de dioses y de hombres», *divinidad del rayo y de la tormenta. Hijo de Rea y Cronos, al que destrona en las luchas por la soberanía olímpica. Vence a los Titanes y al monstruo Tifón. Es esposo de Hera y padre de Hefesto, el dios cojo del fuego, y de Ares, el dios de la guerra. Da a luz a Atenea, que nace de su cabeza.*

Atenea. *Hija de Metis y Zeus Diosa epónima de Atenas. Es representada armada, con casco, lanza y égida (piel de cabra bordeada de serpientes). En honor de Atenea Parthenos (Virgen) se erigió el Partenón y se celebran en la ciudad las fiestas Panateneas.*

Afrodita. *Divinidad de origen oriental del amor y la fecundidad. Nació en las olas del mar, por efecto de la castración de Urano. Casó con Hefesto y amó en adulterio a Ares. Se unió en el lecho a un mortal, el troyano Anquises.*

Apolo. *Hijo de Zeus y Leto, que le dio a luz en la isla de Delos junto con su hermana Artemis. En Delfos poseyó el oráculo más famoso de la Antigüedad. Fue un dios de la adivinación y de la música. Tocaba la cítara. Le acompañaron las Musas.*

Démeter. *Divinidad agraria de la tierra, madre de Perséfone, muchacha que fue raptada por Hades al reino subterráneo o infernal. Su madre la buscó por toda la Tierra. Encargó al héroe Triptólemo que enseñara a los hombres el cultivo del trigo.*

Dioniso. *Hijo de Zeus y Semele. También llamado Baco. Dios de la vegetación y del vino. No perteneció en un primer momento a los Olímpicos. Su figura se asimiló a cultos* *orgiásticos anatolios. En la playa de Naxos, descubrió y amó a Ariadna la hija de Minos, abandonada por Teseo.*

Héroes

Heracles. *Hijo de Alcmena y de Anfitrión como padre* mortal *y Zeus como padre divino. Los latinos le llamaron Hércules. Héroe griego por excelencia, de fuerza descomunal, se le atribuyen numerosos trabajos, algunos de los cuales con el tiempo se organizaron en un Ciclo de Doce. Liberó el mundo de monstruos y de males.*

Teseo. *Fue el más popular de los héroes atenienses. En parte su figura se remodela sobre la de Heracles Con la ayuda de Ariadna, venció al monstruo del laberinto cretense llamado Minotauro.*

Bibliografía

Bermejo, J., *Introducción a la sociología del mito griego,* Madrid, 1979 (edit. Akal); Bernabé, A., *Textos literarios hititas,* Madrid, 1987 (Alianza Tres); Bremmer, J. (ed.), *Interpretations of Greek Mythology,* London & Sydney, 1987; Detienne, M., *La muerte de Dionisos,* Madrid, 1982, (edit. Taurus); Dodds, E. R., *Los Griegos y lo irracional,* Madrid, 1980, (Alianza Edit.); Eliade, Mircea, (edit.) *La naissance du monde,* París, (Editions du Seuil); García Gual, C., *Prometeo: Mito y tragedia,* Madrid, 1979 (Libros Hiperión); García Gual, C., *La mitología,* Barcelona, 1987 (Editorial Montesinos); García López, J., *La Religión Griega,* Madrid, 1975 (edit. Istmo); Kirk, G. S., *Mito. Su significado y funciones,* Barcelona, 1973 (Barral eds.); Lévy-Strauss, CL, *Mito. Su significado y funciones,* Madrid, 1987, (Alianza Editorial); Müller, Max, *Mitología comparada,* Barcelona, s.a. (edit. Teorema, Visión libros); Nestle, W., *Historia del Espíritu Griego,* Barcelona, 1975 (2ª ed.) (Edit. Ariel); Vernant, J. P., *Mito y pensamiento en la Grecia Antigua,* Barcelona, 1973 (edit. Ariel).

Bibilioteca Básica de Historia

TÍTULOS PUBLICADOS

LOS INCAS

EL RENACIMIENTO

LOS AZTECAS

LOS FENICIOS

LA PALESTINA DE JESÚS

LOS TEMPLARIOS

FARAONES Y PIRÁMIDES

MITOS Y RITOS EN GRECIA

LA GUERRA CIVIL ESPAÑOLA

LA SEGUNDA GUERRA MUNDIAL

LOS VIAJES DE COLÓN

DESCUBRIMIENTOS Y DESCUBRIDORES

NAPOLEÓN

VIDA COTIDIANA EN LA EDAD MEDIA

CARLOMAGNO

VIDA COTIDIANA EN ROMA

LOS MAYAS

LA REVOLUCIÓN FRANCESA

LOS VIRREINATOS AMERICANOS

LA INQUISICIÓN

Biblioteca básica de Historia

Biblioteca básica de Histor

Biblioteca básica de Historia

Biblioteca básica de Histor

Biblioteca básica de Historia

Biblioteca básica de Histor

Biblioteca básica de Historia